Deel de passie

De waarheid is mooi, ongetwijfeld; maar leugens ook.
– Ralph Waldo Emerson

Cecily von Ziegesar

Deel de passie

Gossip girl

Vertaald door Suzanne Braam

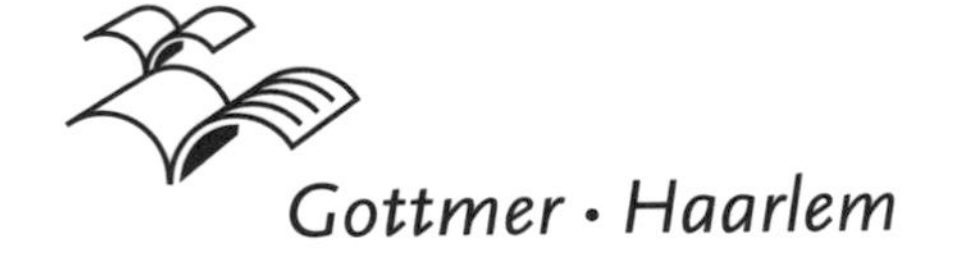

Gottmer · Haarlem

Lees alle delen uit de Gossip Girl-serie:

1. ***Gossip Girl***
2. ***We mailen!***
3. ***Ik wil alleen maar alles***
4. ***Omdat ik het waard ben***
5. ***Ik hou van lekker***
6. ***Ik wil jou voor altijd***
7. ***Er is geen betere***
8. ***Wat er ook gebeurt***
9. ***Altijd dichtbij***
10. ***Gemaakt voor elkaar***
11. ***Deel de passie***

Oorspronkelijke titel: *Would I lie to you*

Postbus 317, 2000 AH Haarlem (e-mail: post@gottmer.nl)
Uitgeverij J.H. Gottmer / H.J.W. Becht BV is onderdeel van
de Gottmer Uitgevers Groep BV
Vertaling: Suzanne Braam
Omslagillustratie: Diana Heemskerk
Omslagontwerp: Jan Brands Bureau voor Grafische Vormgeving, 's-Hertogenbosch
Zetwerk: Rian Visser Grafisch Ontwerp, Haarlem
Druk en afwerking: Drukkerij Hooiberg Salland, Deventer

Kijk voor meer informatie over de boeken van Gottmer op **www.gottmer.nl**
Gossip Girl heeft ook een eigen site: **www.gossipgirl.nl**

ISBN 978 90 257 4339 0 / NUR 285

▶ gossipgirl.nl
topics | ◂ vorige | ▸ volgende | stel een vraag | reageer

Disclaimer: alle namen van plaatsen, mensen en gelegenheden zijn veranderd of afgekort om de onschuldigen te beschermen. Mij, vooral.

ha mensen!

Heb je ooit het gevoel gehad dat je de gelukkigste mens van de wereld was? Oké. Maar dat ben je niet, want dat ben ik. Op dit moment lig ik te zonnebaden op een über-gezellig, supergaaf strand in East Hampton, en kijk naar de jongens van de middelbare school die hun pastelkleurige Lacoste polo's uittrekken en hun zonverbrande schouders insmeren met Coppertone. Weet je, er is een reden waarom een New Yorker niet echt weg wil uit de stad en de zomer doorbrengt in de Hamptons. Het is dezelfde reden waarom mensen sandalen met dunne bandjes dragen van Christian Louboutin of eersteklas vliegen: het beste is net even beter.

Over het beste gesproken, niemand doet het beter dan Eres. Ik ben een bescheiden meisje, maar zelfs ik denk dat ik er tamelijk prachtig uitzie in mijn mangokleurige halterbikinitop en bijpassende jongensshorts. Oké, misschien ben ik toch niet zo bescheiden, maar waarom ook? Als jij er net zo fantastisch uitzag en wat rondhing op een krijtwit strand in East Hampton, zou jij dat ook zeggen. Zoals ik leerde op mijn privé lagere meisjesschool in Upper East Side: niets is opschepperij, als het waar is.

De hemel zij dank dat het zomer is en we nu hard kunnen gaan werken aan het lekkere luie leven in de vakantie. Na een drukke maand juni in de City is het juli geworden met een zachte bries uit zee en doorlopende reserveringen bij de beste restaurants van de Hamptons. Warm en klam Manhattan is dichtbij, maar wij struinen liever op blote voeten rond in onze bikini's van Eres of Missoni met tapijtprint en onze sarongs, gebatikt in een patroon van de West-Indies, of rijden met onze platinakleurige Mercedes CLK 500 cabriolets heen en weer in Main Street, East Hampton, op zoek naar een parkeerplaats die nooit gemakkelijk te vinden is. De jongens lopen in surfshorts van Billabong.

Wij zijn de jongens met het zongebleekte haar! We komen terug uit Montauk met onze surfplanken op de imperiaal gebonden van onze Cherokees. Wij zijn de meisjes die liggen te giechelen op onze citroengele en frambozenrode badlakens of we zijn te vinden in de Aveda Salon in Bridgehampton voor een aftersunbehandeling. We zijn de prinsen en prinsessen van de Upper East Side en nu heersen we op het strand. Als je bij ons hoort, dus bij de uitverkorenen, kom ik je wel ergens tegen. Het lijkt of het seizoen al in volle gang is, zeker nu een paar favoriete vriendinnen hebben besloten ons te vereren met hun aanwezigheid. Namelijk...

HET DYNAMISCHE DUO

Nu weet je het: ik kan het ook niet meer bijhouden. Het weerbericht over deze twee lijkt dagelijks te veranderen. Zijn ze vrienden? Vijanden? Vrie/ijanden? Minnaars? Je weet over wie ik het heb: over ***B*** en ***S***. En het enige wat ik zeker weet is dat ze officieel mode-iconen zijn geworden. Ja, ja! We hebben het steeds geweten, maar de mode-elite schijnt het eindelijk ook door te krijgen. Nadat ik ***B*** en ***S*** verleden maand ontmoet had bij de opnamen van *Breakfast at Fred's,* besloot een zekere modeontwerper – een man op fluwelen slippers waarin zijn monogram geborduurd is, een mond vol kronen en het hele jaar door de bruine teint van Palm Beach – de twee meisjes in zijn villa in Georgica Pond te laten logeren om hem te inspireren. Ik hoop dat zijn menagerie (die, naar ik gehoord heb, bestaat uit een aantal schoothondjes, een paar lama's en twee angstaanjagend magere fotomodellen met ogen als schoteltjes, weggeplukt uit het donkere Estland om te schitteren in zijn aanstaande advertentiecampagne) niet al te jaloers wordt op de nieuwelingen. Maar, laat ik eerlijk zijn: die twee spelen het altijd klaar iedereen jaloers te maken. Ze hebben ook nogal veel om jaloers op te zijn.

SUMMERTIME AND THE LIVING AIN'T EASY...

... voor alle anderen. Het schijnt dat sommige meisjes alle geluk van de wereld hebben en iedereen behalve wij alleen maar pech heeft. Bijvoorbeeld:

Arme **N** die elke dag werkt in het split-levelhuis van de coach of in zijn eentje chagrijnig zit te zijn bij zijn zwembad in Georgica Pond. Waardoor is hij zo van streek? Kwam het door het instorten van zijn romance met dat kauwgum kauwende meisje uit de City dat dol was op ska? Geloof me, ze zou nog geen Eres-bikini herkennen, al zou iemand hem tegen haar uiterst goedkoop geblondeerde hoofd gooien. Maar hallo, ik ben beschikbaar...

Arme ***V*** gevangen in haar eigen helse kringetje: ze woont bij haar oude liefde ***D***, maar zoent hem niet en veegt opgedroogd kinderkwijl van haar zwarte bermuda van Carhartt, terwijl de hyperactieve jongetjes op wie ze moet passen het alfabet boeren.

En arme ***D***... Nou, misschien verdient hij niet al te veel medelijden, omdat hij ***V*** heeft bedrogen met dat geschifte yogameisje, en nu huist ***V*** in het zachtroze kamertje van ***D***'s kleine zusje ***J***. Bovendien heeft hij nog steeds zijn 'werk' en een schijnbaar bodemloze pot oploskoffie. Soms lijkt het of hij meer van slechte koffie en slechte dichtkunst houdt dan van meisjes. Ik kan het me niet voorstellen!

Jullie e-mail

Beste GG,
Ik heb een probleem en weet niet wie ik om raad moet vragen. Kun jij me alsjeblieft helpen? Ik heb geprobeerd mijn lekkere bovenbuur te strikken, maar dat lukte niet. Toen ontmoette ik haar ongelooflijke kamergenote en dat lukte wel... of het leek zo. We hadden een poosje een romantische *summer-in-the-city* en ze vroeg zelfs of ik haar misschien wilde komen opzoeken in de Hamptons. De volgende morgen klopte ik op haar deur en ze was verdwenen. Geen meubels meer, geen kleren, geen briefje, niets. Wat moet ik doen? Zal ik haar bellen of geldt dat als stalken?
– Afgeknapt en Gebroken

Beste A&G,
De besten onder ons zijn moeilijk te krijgen. Als het zo bedoeld is, zal ze terugkomen en je overladen met zachte bloemenkusjes. En zo niet, koester dan je herinneringen en schrijf de mislukking op het conto van de vluchtige aard van zomerromances. Maar als je in de markt bent, kan ik je misschien helpen je gebroken hart weer te lijmen? Stuur me je foto!
– GG

Beste GG,
Het gekste wat ik ooit gezien heb: een vreemde, bedrieglijke versie van een paar meisjes, die ik ken uit de stad, een mooie blondine en een magere brunette, samen giechelend op het strand bij Maidstone Arms Hotel. Ze deden me denken aan een paar Louis Vuitton neppers van een straatverkoper – van veraf leken ze bijna echt, maar van dicht-

bij... Tja, sommige dingen kun je gewoon niet namaken. Wie zijn ze, verd....?
– Dubbel- of vierdubbelkijker

Beste D-VD,
Nu zekere meisjes – blondine en brunette – de muzes zijn geworden van een zeer beroemd en flamboyant modeontwerper, zullen we steeds meer lookalikes gaan zien. De jongens worden er gek van. De vraag is, wie zal de echte meisjes te pakken krijgen?
– GG

Gezien

B op zoek naar nieuwe spullen – een tocht die haar naar Barneys bracht, vervolgens naar Tod's en toen naar Bally. Wordt dat meisje nooit moe? Blijkbaar niet en haar creditcard ook niet. Haar moeder had hem net teruggegeven na ***B***'s aanval van internationale koopwoede waarbij ze ongeveer dertigduizend dollar uitgaf. Gadver! ***S*** bij de kiosk op de hoek van *Eighty-fourth* en *Madison*, die zich oplaadt aan elke glossy over mode en beroemdheden, intussen stiekem de tekst vluchtig doorzoekend of ze nog genoemd wordt. Een meisje heeft iets nodig om op het strand te lezen. Een terneergeslagen ***N*** die bij die verlopen drankwinkel in Hampton Bays een lauw sixpack Corona koopt. Geen woord over of hij dat bier wilde hebben voor een romantische barbecue op het strand bij zonsondergang, of alleen maar zijn zorgen wilde verdrinken. Waarschijnlijk het laatste, als je de geintjes op het afscheidsfeestje van *Breakfast at Fred's* in ogenschouw neemt. ***V*** en ***D*** samen (maar niet zoals jij denkt) bij de bodega op de hoek van *Ninety-second* en *Amsterdam,* bezig boodschappen in te slaan voor hun gemeenschappelijke appartement. Ze lijken net zo'n oud, getrouwd stel, dat samen wc-papier gaat kopen en geen seks meer heeft. ***K*** en ***I*** bij de Union Square Whole Foods, die – zonder het zich bewust te zijn – met hun boodschappenmandjes tegen alle andere klanten stootten, terwijl hun zwarte stadsautootje buiten wachtte. Een woord tegen de verstandigen onder jullie, meiden: je koopt misschien grote hoeveelheden witte waterkers, rijstkoeken en mineraalwater om mee te nemen naar de Hamptons, maar als je daarbij ook nog vijf (of zes of zeven) truffels keurt is je dieet voor een bikinikontje waardeloos. Maar die truffels zijn wel lekker. **C** die weer terugkeert van een week weggeweest uit de sociale kringen. Blijkt dat hij veilig weggekropen is in zijn lievelingssuite op het dak van het nieuwe sloependekhotel op *Gansevoort Street*... en hij was niet alleen: een zekere verwaande blondine met een uitgroei in haar geblondeerde haar van minstens een centimeter was bij hem. Herinner je je haar nog? Ik weet dat **N** het zich herinnert.

Het wordt een zwoele, drukke julimaand, mensen, maar jullie weten dat ik nooit stilzit. Je zult altijd van me horen wie er komt, wie er gaat, wie onuitgenodigd binnenvalt op de wildste feesten in Gin Lane, Further Lane en al die andere verlopen nachtclubs in de Hamptons, en wie er rondsluipt onder de koele dekking van de nacht. Uiteindelijk ben ik overal. Nou, overal is trouwens overal, wáár dan ook.

Je weet dat je van me houdt,

gossip girl

s en b zien hun quasi-spiegelbeelden

'Hallo? Hallo?' Blair Waldorf en Serena van der Woodsen stormden de bijna lege hal binnen van Bailey Winters nostalgische toevluchtsoord in East Hampton. Buiten bloeide de hydrangea. Het stuifmeel werd door de wind meegenomen. De temperatuur steeg, maar binnen was het koel, schoon en fris. Blair liet haar zalmroze leren tas van Tod op de zwart-wit gestreepte houten vloer vallen en riep opnieuw: 'Hallóóóó?'

'Is er iemand thuis?' Serena schoof haar mooie Chanel-zonnebril – met houten montuur – op haar voorhoofd. Ze was gewend aan huizen vol antiek, maar als ze zelf een zomerhuis had, zou ze willen dat het eruitzag zoals dit: goed verzorgd, schoon en zonder antiek. 'Jullie zijn er, jullie zijn er!' De couturier van de jetset rolde bijna van de geboende ebbenhouten trap naar beneden als een te grote kleuter op kerstochtend. Hij klapte verrukt in zijn handen en schreeuwde boven het geblaf uit van de vijf mopshonden die hij in zijn kielzog had.

Blair wisselde drie luchtzoenen met de ontwerper en merkte voor het eerst dat hij zó klein was dat zijn kruin maar tot aan haar kin kwam. Bailey leverde de kostuums voor *Breakfast at Fred's,* de tienerversie van de klassieker *Breakfast at Tiffany's* met Audrey Hepburn. In die nieuwe film speelde niemand minder dan Blairs oudste en beste vriendin Serena de hoofdrol. En nu had Bailey Blair en Serena uitgenodigd om deze zomer zijn muzen te zijn in zijn villa in Georgica Pond. Ze zouden hem inspireren voor zijn nieuwe collectie: Zomer/Winter door Bailey Winter, een collectie van de opwindendste zomer- en winterkleding, die maar één keer vertoond wordt.

'Wat leuk dat je ons hier hebt uitgenodigd!' Blair zat bijna te spinnen van genoegen, terwijl de vijf hondjes enthousiast snuffelden aan haar zachtroze gelakte tenen die die dag – natuurlijk – verpakt zaten in wit linnen espadrilles van Bailey Winter.

'Doe of jullie thuis zijn!' riep de ontwerper over Blairs rechterschouder. Serena stond nog op de drempel om het geheel in zich op te nemen, en schrok zich een ongeluk van Baileys stem. 'Kom hier en geef me onmiddellijk een dikke smakkerd!'

Serena volgde Blairs voorbeeld, zette haar jagergroene zware canvas tas van Hermès op de glanzend geboende vloer en omhelsde de mini-ontwerper. De hondjes renden om haar heen, en wreven hun dikke, kwijlerige wangen tegen haar nu al gebruinde benen.

'O, grote hemel! Gedrágen jullie je een beetje?!' schold Bailey tegen de honden, hoewel ze niet reageerden en alleen maar als gekken stonden te draaien met hun blonde kontjes. 'Meisjes, mag ik jullie voorstellen, dit zijn Azzedine, Coco, Cristóbal, Gianni en Madame Grès.' Hij knikte naar zijn vijf hondjes met hun uitpuilende ogen. 'Kinderen, dit zijn mijn nieuwe muzen: Blair Waldorf en Serena van der Woodsen. Lief zijn, denk erom!'

'Zal ik de tassen aanpakken?' vroeg een lage stem met een vaag Duits accent. Blair draaide zich om. Ze zag een slungelachtige jongen met slaphangend haar vanuit de gang – die baadde in het zonlicht en naar de achterkant van het huis leidde – de kamer binnenkomen. Door de ramen die van de vloer tot aan het plafond reikten zag Blair een bijna zwart, oneindig lang lijkend zwembad. De jongen had een tot op de draad versleten oranje T-shirt aan dat zijn toffeekleurige biceps nauwelijks bedekte en daaronder een gerafelde, olijfkleurige bermuda die tot over zijn knieën hing. Waar had ze hem eerder gezien? In een catalogus van Abercrombie? In zijn ondergoed op een billboard op Times Square?

In haar dromen?

'O, hal-*loooo*, Stefan!' gilde Bailey. 'De meisjes logeren in het huisje bij het zwembad.'

'Uitstekend.' Met een grijns op zijn gezicht pakte hij de tassen van Blair en Serena bij elkaar.

'We hebben nog meer bagage in de auto,' lichtte Blair hem in. Bewonderend keek ze naar de manier waarop zijn biceps zich bewogen, terwijl hij het gewicht van haar propvolle tas inschatte.

'Stout meisje!' fluisterde Bailey luid, terwijl hij haar aankeek. Hij sloeg een enigszins oranje gebruinde arm om haar schouders en drukte haar even tegen zich aan. 'Een traktatie die jongen, of niet?'

Blair knikte enthousiast, hoewel de aanblik van Stefans gespierde armen en zijn door de zon gezoend haar, haar deed denken aan Nate Archibald, ooit – en misschien zelfs nu nog – de liefde van haar leven. De zon scheen altijd te toveren op Nates lijf. Hij kon een of andere suffe polo aan hebben die misschien wel zes jaar oud was met daaronder een te netjes geperste kaki bermuda van Brooks Brothers die zijn moeder altijd voor hem kocht, maar gebruind en wel zag hij er nog steeds belachelijk aantrekkelijk uit.

Toen Blair een paar minuten daarvoor met haar auto stopte voor Baileys huis van beton-met-glas, had ze onwillekeurig gekeken naar de opritten van de verschillende huizen in de buurt of ze Nates auto zag staan. Zijn familie was in de zomer altijd in Maine, maar ze had gehoord dat Nate in hun nieuwe strandhuis in de Hamptons logeerde, en voor zijn honkbalcoach werkte. Ze was er nooit geweest, maar het moest hier ergens in de buurt zijn. Niet dat ze er bij had stilgestaan of zo.

Vast niet.

Het was de laatste zomervakantie van haar hele leven. Natuurlijk zou ze op de universiteit ook zomervakanties hebben, maar ze verwachtte dat die gevuld zouden zijn met belangrijke stages bij modebladen, of archeologische opgravingen in de woestijn van Mumbai, of een 'volkenkundig' onderzoek in Zuid-Frankrijk. Over niet meer dan acht weken zou ze haar nieuwe, zacht oranje-gele BMW nemen (een cadeau van haar vader toen ze was geslaagd voor haar eindexamen middelbare school; haar vader was globetrotter en homo, maar nog steeds heel lief) en naar New Haven rijden om haar nieuwe leven te beginnen als student aan Yale University. Tot dan was ze vastbesloten van haar leven te genieten als een mode-muze. Ze zou haar dagen doorbrengen aan het zwembad, nippend aan citroenlikeur en koude wodka en haar nachten met het masseren van Stefans armspieren. Of met zoeken naar Nate. Of met *niet* zoeken naar Nate. Wat dan ook.

'Je huis is prachtig.'

Het geluid van Serena's stem haalde Blair uit haar mijmeringen. Ze keek van Stefans goedgevormde armen naar haar beste vriendin, die op de grond zat, omringd door Baileys honden. Serena glimlachte gelukkig tegen haar. Ze had een lange, witte katoenen jurk aan van Marni met spaghettibandjes en paarse, gehaakte versieringen. Voor iedereen zou ze eruitzien als de afgrijselijk hippieachtige tante Moonbeam uit San Francisco, maar de jurk stond Serena natuurlijk fan-tas-tisch.

'Ik ben blij dat mijn nederige onderkomen beantwoordt aan de veeleisende maatstaven van Serena van der Woodsen,' zei Bailey.

Zes slaapkamers, zeven badkamers, groot vogelhuis, huis bij het zwembad, heliplatform en tennisbanen: inderdaad een nederig onderkomen.

Serena wiegde Coco in haar armen en gaf haar een zoen op

haar aanbiddelijke, misvormde snoet. De mopshond blies en snoof blij. Serena had nooit meer over de grond gerold met een hond, sinds ze iets had gekregen met Blairs stiefbroer Aaron. Zijn hond, Mookie, had Blairs hele slaapkamer ondergekwijld en Kitty Minky, Blairs poes, zo bang gemaakt dat ze overal ging plassen, maar Serena had toch een warm plekje voor het beest. Ze vroeg zich af of Bailey het goedvond als ze Coco 's avonds meenam naar het huisje bij het zwembad, als een levende teddybeer.

'Iemand heeft een oogje op je, hè, Coco?' kirde Bailey, terwijl hij de hond onder haar harige kin krabbelde alsof het een kleine, harige baby was. 'Kom, ik zal jullie een rondleiding geven.'

Blair keek fronsend naar de vier andere honden die haar allemaal vol verwachting aanstaarden. Het laatste wat ze wilde was dat een van de mormels op haar linnen tuniek van Calypso Fashion zou kwijlen.

'Deze kant uit, meisjes,' gebaarde Bailey, waarna de vijf honden en de twee meisjes als een troep eenden achter hem aan de donkere gang doorliepen naar het hoofddeel van het huis. De gang was behangen met grote, rode, ronde schilderijen. Blair herkende ze van een dubbele pagina over het huis van Winter in de *Elle Decor* van verleden zomer. De gang kwam uit in een grote keuken met werkbladen van stortbeton. Een reusachtige teakhouten schaal gevuld met stralend gele limoenen stond in een rechte hoek op een van de werkbladen. 'Dit is de keuken,' legde hun joviale gastheer uit. 'Maar het enige wat jullie echt moeten weten is dat de drank daarginds is.' Hij wees naar een metalen hoektafel waarop een aantal decanteerkaraffen stond in allerlei maten. 'Mag ik even?'

Bailey ging aan de slag: hij schonk een van de heldere, alcoholische dranken over een paar blokjes ijs en wat geplette mintblaadjes en gaf twee volle glazen aan Serena en Blair.

Serena moest Coco onder haar arm stoppen om het drankje te kunnen aanpakken.

'Wat is dit voor een drank?' vroeg Blair. Ze trok argwanend haar volmaakt gebogen wenkbrauwen op.

'Een mintthee voor mijn meisjes!' Bailey leegde zijn glas in één grote teug en schonk zichzelf opnieuw in. 'En de ijskast zit vol, dus ga je gang. Maar zeg er tegen mij maar niets over – het is tenslotte het badpakkenseizoen.'

'Klopt,' stemde Blair in, terwijl ze op een onbespied moment even met haar ogen rolde. Oude mensen zeiden altijd dat ze goed oppasten met eten, maar zij was van plan zoveel ijs en stokbrood te eten als ze maar wilde en er nog steeds glorieus uit te zien in haar nieuwe ivoor-met-hemelsblauw gestreepte bikini van Bluemarine.

Prachtig.

'Kom!' Bailey gooide de deuren open naar de zonnige blauw betegelde patio. 'Daar is het zwembad. En daar,' ging hij verder, terwijl hij naar een lage, betonnen bungalow wees die een miniversie leek van het grote huis, 'is jullie thuis zolang jullie hier zijn. Het huisje bij het zwembad. Ik geloof dat jullie je daar wel op je gemak zullen voelen. Er is elektriciteit, de lakens komen uit Umbrië en Stefan brengt alles wat jullie maar nodig hebben.'

Alles?

'Er zijn nog twee zeer belangrijke mensen die jullie *moeten* leren kennen,' voegde hij er dweperig aan toe. Hij gooide het laatste restje van de drank uit zijn glas. 'Svetlana! Ibiza! Kom naar de voorkant, alsjeblieft!'

Nog meer honden?

'We komen, menier Wienter!'

Twee krijgshaftige vrouwen met mooie, lange benen kwamen uit de bungalow rennen – hun bungalow – en haastten zich naar Blair, Bailey en Serena. Enthousiast begonnen de honden in koor te blaffen.

'Ik Svetlana,' verkondigde een van de meisjes. Ze had platinablond haar tot op haar billen. Haar heupen waren nauwelijks zichtbaar. Ze had een piepklein, feloranje bikinibroekje aan. Twee kleine oranje driehoekjes bedekten de borsten die ze niet had.

'Ik ben I-bi-za,' articuleerde het andere meisje zorgvuldig. Ze had in laagjes geknipt kastanjekleurig haar dat haar bijna vosachtige gezichtje omlijstte, stralende, blauwe ogen en een brede glimlach die enigszins ontsierd werd door twee nogal vooruitstekende boventanden. Haar lavendelkleurig-met-goud gestreepte badpak was een van die afschuwelijke, ingewikkelde, uit één stuk bestaande badpakjes die van achteren een bikini lijken. Een nauwkeurig geplaatst uitgeknipt cirkeltje aan de voorkant liet haar tamelijk donzige navel zien.

Gadver!

Ibiza – haar naam leek eerder een automerk dan een voornaam – legde haar handen op Blairs arm en gaf haar een luchtzoen op beide wangen. Blair huiverde van de schrik omdat dit meisje – haar afschuwelijke, orthodontische probleem uitgezonderd – precies op haar leek. Ze wrong zich los uit de greep van Ibiza en bekeek nauwkeurig het andere fotomodel dat bij nader inzien een waterige versie van Serena was, zonder haar gratie, haar zelfverzekerdheid en haar opvoeding in New England. Wat was hier aan de hand?

'Ibiza en Svetlana worden de gezichten van de nieuwe lijn, lieverds. In de advertenties, bedoel ik,' legde Bailey uit met een voldane zucht. 'Ze zijn op jullie twee geïnspireerd. Dat is zonneklaar.'

Zonneklaar.

'Ik heb hen hier uitgenodigd om naar jullie te kijken. Om jullie te *zijn* eigenlijk,' ging hij door, waarbij hij dramatisch zijn glas hief, alsof hij op een toneel stond in *Rent* op Broadway. 'Ik wil dat ze jullie *wezen* overnemen!'

Eh... hallo, engerd?

'Leuk met jullie kennis te maken.' Serena stak een hand uit naar de meisjes, het eerst naar haar eigen *doppelgänger.* Ze was zoals altijd beleefd, maar in haar binnenste huiverde zelfs zij van dit alles. Haar hoge stem en haar bedenkelijke smaak voor zwemspullen uitgezonderd, leek Svetlana op haar, maar toch... Het deed haar denken aan Halloween op de basisschool toen zij en Blair zich hadden verkleed als twee leraressen van school, compleet met pruiken, lelijke vesten van Talbot en bruine mocassins.

'Dit wordt zoiets als een grandioos slaapfeestje!' gilde Bailey als een meisje-van-zes.

Ibiza en Svetlana giechelden aanstellerig. 'Kussengevechten!' riepen ze in koor met hun dikke accent van het Oostblok.

'Mijn hemel! Jullie twee zijn goddelijk!' Bailey gooide zijn glas op het zachte, groene gazon en begon opnieuw vurig in zijn handen te klappen.

Blair keek boos naar de quasi-spiegelbeelden van Serena en haar. Voor iedereen zagen ze er waarschijnlijk uit als gelukkige, zorgeloze, ondervoede barbiepoppen, maar Blair was altijd oplettender geweest dan het gemiddelde meisje. Zeker, Ibiza en Svetlana moesten waarschijnlijk bij hen in de buurt rondhangen om zich hun typerende manier van doen eigen te maken, maar Blair zag ook nog iets anders in hun buitenlandse kraalogen: iets berekenends, iets boosaardigs zelfs.

Deze meisjes waren hoe dan ook niet geïnteresseerd in de tweede plaats. Ibiza en Svetlana hadden heel zeker andere plannen.

We zullen zien.

Blair draaide zich om en grijnsde tegen Serena, opeens blij dat ze haar beste vriendin bij zich had. Ze greep Serena bij haar hand. 'Laten we even afkoelen,' fluisterde ze met pretlichtjes in haar ogen.

'Goed idee.' Serena begreep het onmiddellijk. Ze liet Coco los. Toen sprongen de twee met schoenen en al in het verleidelijke, blauwe zwembad en kwamen gillend weer boven. Het water was op lichaamstemperatuur.

'Hè gáts!' jammerde Bailey toen het naar chloor ruikende water op zijn glanzende, witte, linnen broek spatte. 'Maar dit is wel inspirerend,' zei hij tegen niemand in het bijzonder. '*Hilfe!* Stefan, vlug, mijn schetsboek! *Opschieten*, lieverd!'

Blair dook met haar hoofd onder in het glinsterende, rimpelende water en voelde dat haar donkere, lange haar zich om haar heen draaide. Ze kwam net op tijd boven, want ze zag dat Ibiza zich samenzweerderig naar Svetlana omdraaide. En daarna stapten de na-apers op de rand van het bad en maakten een bommetje aan de diepe kant. Hun lijven kwamen met een klap op het water terecht.

Welkom bij jullie nieuwe familie, meiden!

n herkent een wanhopige huisvrouw als hij er een ziet

'Nate? Náááte? Waar *zit* je, kleine-kruisbes-van-me?'

Bij die gedempte schreeuw in de verte gingen de door de zon gebleekte haartjes in Nate Archibalds gebruinde nek rechtop staan. Hij had met opzet gekozen voor de vuile maar verlaten zolder van coach Michaels' huis voor een snelle ontsnapping van weer een dag van contractueel overeengekomen dwangarbeid in het niet zo modieuze deel van Long Island.

Vluchten natuurlijk. Dat betekende in dit geval vluchten naar stoned-land. Adem THC in en CO_2 uit.

Hij nam een flinke trek van een pas gerolde joint en blies een pluim warme, droge rook uit het raampje, intussen overpeinzend waar de stem precies vandaan was gekomen. De stem in kwestie behoorde aan Patricia, ook bekend onder de naam Babs, de altijd aanwezige en meestal topless-zonnend-aan-het-zwembad-vrouw van coach Michaels. Nate werkte al in het zomerhuis van de familie Michaels sinds zijn eindexamen middelbare school. Zijn diploma had hij nog niet gekregen vanwege een intussen berucht geworden incident: hij had Viagrapillen gepikt. Babs was altijd vriendelijk geweest – ze bracht hem grote glazen thee met citroen als hij bezig was het geliefde gazon van de coach te maaien. En als hij 's morgens met een wazige blik verscheen, klaar om te gaan werken, drong ze erop aan dat hij een stuk kaneeltoast met boter at. Ze had de afgelopen twee dagen eh... *extra* vriendelijk tegen hem gedaan. Misschien was hij het grootste deel van de tijd stoned geweest, maar hij was toch helder genoeg om te merken dat Babs Michaels *absoluut* iets in hem zag.

Geldt dat overigens niet voor de meeste vrouwen?

Nate bleef staan en concentreerde al zijn energie op het luisteren in het stille huis. Het enige geluid dat hij echter hoorde was het kloppen van zijn stoned, nerveuze hart. Hij nam weer een hijs van de joint en wachtte – misschien maakte de hasj hem achterdochtig, maar hij dacht dat hij iets hoorde. Het leek op naderende voetstappen...

Shit! Nate drukte de joint haastig uit op de ruwhouten vensterbank, waarbij een regen van vonken op de grond viel. Fantastisch – hij stond niet alleen op het punt betrapt te worden met een joint in werktijd, maar hij zou dit huis op deze manier nog in brand steken ook, verdomme. Hij stopte de gedoofde hasjpeuk in zijn zak – onzin om hem weg te gooien – en deed zijn best de rook door het open raam te laten verdwijnen.

'Ben je boven, Nate?' riep Babs' stem onder aan de zoldertrap. 'Ruik ik iets... *illegaals?* Weet je, ik ben ook tiener geweest – nog niet zo lang geleden!'

Nate stond nog steeds met zijn handen te wapperen toen Babs boven aan de trap verscheen. Een sluwe glimlach verspreidde zich over haar gerimpelde, door de zon gebruinde gezicht. Haar roodgeverfde haar hing in een slordige staart in haar hals. Een dikke krans van kastanjebruine krulletjes sierde haar voorhoofd.

'Hier zit je dus,' zei ze hijgend. 'Heb je me niet horen roepen?'

Nate schudde zijn hoofd. Hij was opeens heel ongerust, omdat hij behoorlijk high was.

Terwijl ze naar hem toe kwam, langs stapels kartonnen dozen en al het oude speelgoed en rommel die ze met de coach hier had opgeborgen, zei ze: 'Nou, je weet wat mijn man zei: nu *hij* de stad uit is, ben je van *mij*.'

'J-j-ja,' stotterde Nate. De coach was voor een week vertrokken naar een of andere lacrosseconferentie in Maryland. Hij leerde er waarschijnlijk nieuwe technieken om jongens van de middelbare school te martelen. Nate raakte in paniek. Hij dacht dat hij de joint niet goed had uitgedrukt. Zou zijn broek in brand vliegen?

Gadver.

'Het punt is, Nate,' ging Babs verder, terwijl ze met haar vinger langs het stuur van een verroeste racefiets ging, 'ik heb je hulp nodig. Wil je mij een plezier doen?'

'Natuurlijk.' Hij knikte. 'Daarvoor ben ik hier.'

'Nou, dit speciale plezier valt misschien iets buiten je normale werkzaamheden,' zei ze. 'Maar als je zo vriendelijk zou willen zijn me te helpen, houd ik misschien wel mijn mond over het feit dat mijn zolder ruikt naar een concert van The Grateful Dead. Wat vind je?'

Wat kun je 'vinden' van chantage?

'Het... het spijt me,' stotterde Nate. 'Het zal niet meer gebeuren.'

Babs lachte. 'Je verwacht toch niet dat ik dat geloof?' Ze liep glimlachend langs de ondersteboven hangende racefiets naar Nate, die nog steeds gehurkt zat bij het kleine raam. 'Maar zand erover. Ik kan een helpende hand gebruiken en jij hebt er twee.' Ze pakte zijn – van het werken – eeltig geworden handen in de hare en bekeek ze. 'Twee heel bekwame, sterke handen.'

Nate vroeg zich af of hij de coach moest inlichten over de oorzaak waarom zijn kinderen niet op hem leken: Babs had waarschijnlijk geprobeerd elke supermarktjongen in te pakken, die de boodschappen voor haar had ingepakt.

'Wat kan ik voor je doen?' vroeg hij. Hij probeerde opgewekt en beleefd te klinken, maar hij hoorde dat zijn stem trilde van pure stoned ANGST.

Babs liet zijn handen los en maakte de bovenste knoop van haar roze katoenen blouse open. 'Ik wilde de coach verrassen.' Ze maakte nog een knoopje los.

'Ja, ja,' antwoordde Nate toonloos. En hij zag een zeer indrukwekkend decolleté, zonder de grens waar het bruin ophield, dankzij haar gewoonte om elke middag topless te zonnen.

Leuk.

'Ik heb een kleine tattoo laten zetten.' Ze maakte giechelend snel alle knoopjes los en liet de blouse van haar schouders op de grond glijden. 'Gewoon leuk voor de coach om te ontdekken als hij thuiskomt.'

'Gaaf,' mompelde hij. *Oogcontact, oogcontact, oogcontact.*

'Maar die tattoo heeft verzorging nodig,' fluisterde ze hees, terwijl ze Nate haar rug toedraaide. Nate zag de tattoo. Het was een vlinder. De groene vleugels van het mooie insect spreidden zich uit over de tanige, bruine huid van het lagere deel van haar rug. 'Maar het lukt me niet erbij te komen,' ging ze door. 'Ik moet van mijn tattookunstenaar, Matty, om de paar uur deze zalf opbrengen.'

Nate bekeek de tattoo en probeerde wanhopig helder na te denken. Wat moest hij in deze situatie doen? Babs was aardig, maar van dichtbij zag haar huid eruit als een versleten oude honkbalhandschoen en haar parfum rook naar de zeep in de toiletten van een benzinestation. Geen wonder dat coach Michaels Viagra nodig had.

Over de coach gesproken: hij zou Nate een schop onder zijn kont geven – en niet alleen maar figuurlijk – als hij wist dat zijn vrouw haar blouse had uitgetrokken in Nates aanwezigheid. Aan de andere kant: als hij géén zalf zou smeren op Babs' tattoo, zou ze haar man vertellen dat Nate tijdens zijn werk had geblowd. Dan zou hij waarschijnlijk zijn diploma niet krijgen aan het einde van de zomer en dat zou betekenen: *niet* naar Yale University. In feite lag dan zijn toekomst in puin.

Hij had maar weinig keus.

'Waar is de zalf?' vroeg hij.

Met gesloten ogen wreef hij even later de tattoo in met zalf. Hij zocht in zijn stoned hersens naar iets niet-seksueels om over te praten. 'Eh, zo dadelijk moet ik die grasmaaier uit de zon halen, anders zou hij kunnen ontploffen. Ik wil geen brand stichten.'

Te laat, schat. Te laat.

verwrongen geesten denken hetzelfde

'Au, shit!' mopperde Dan Humphrey toen hij zijn tong brandde aan de beker armzalige oploskoffie die hij gemaakt had.

Nooit gehoord van Starbucks-koffie, man?

Dan stak een Camel in zijn mond die een beetje krom was en probeerde er een trek van te nemen, terwijl hij tegelijk ook in zijn koffie blies. Natuurlijk bleek dat volkomen onmogelijk. De koffie spatte uit de auberginekleurige beker vol bobbels – jaren geleden door zijn moeder geboetseerd vóór ze verhuisde naar Hongarije of de Tsjechische Republiek, of in welk rotland ze nu ook woonde – op de stoffige gele linoleumvloer. Hij was absoluut geen ochtendmens.

Dan zette de treurige beker tussen de vuile vaat op de maar half opgeruimde, oude formicakeukentafel en slofte naar de beige jaren zeventig-ijskast. Hij hoopte, tegen beter weten in, iets eetbaars te vinden voor onderweg. Hij moest met de metro naar zijn werk en had maar twintig minuten om er te komen: het was een droombaantje bij de Strand, de legendarische, rommelige tweedehands boekhandel in Greenwich Village. Maar als hij nu niet at, zou hij tegen lunchtijd halfdood zijn van de honger.

Hij hield zijn adem in om hem niet te hoeven ruiken en stopte zijn hoofd in de hoge, brommende kast: een oude koffiepot gevuld met een of ander brouwsel bedekt met een donzige groene schimmel, een witte aardewerken schaal met daarop niet nader te identificeren groenteresten, een doorschijnende plastic doos met hardgekookte eieren en nog veel meer oude, niet meer eetbare dingen. Zijn zusje Jenny had kleine gezichtjes op de eieren getekend, voor ze, meer dan een maand geleden, naar Europa was vertrokken. Dit was niet leuk.

'Doe geen moeite,' zei een mopperige stem achter hem. 'Ik heb er gisteravond nog in gekeken. Er ligt niets in wat ook maar in de verste verte eetbaar is.'

Hij trok zijn hoofd terug, gooide de deur van de ijskast dicht en glimlachte vaag tegen Vanessa Abrams, wier status zich ontwikkeld had van beste vriendin tot echte vriendin, terug naar huisgenote. Na veel ups en downs – die allemaal te maken hadden met Dans hitsige, dwalende ogen – hadden ze besloten dat ze beter af waren als vrienden die in aparte bedden sliepen en in aparte kamers. Vanessa woonde bij Dan en zijn vader, omdat ze thuisloos was geworden door een egoïstisch kreng-van-een-zus die sinds kort iets had met een Tsjechisch vriendje.

'Ja, dit is goed waardeloos.' Dan gooide zijn sigaret in de gootsteen, waar hij sissend doofde. 'Ik heb razende honger.'

'Mmmm,' bromde Vanessa terwijl ze wat water in een glazen maatbeker warmde, overigens het enige schone bekerachtige voorwerp dat ze kon vinden. Ze morste oploskoffie op de grond, terwijl ze de poeder in de maatbeker schepte. Zij was evenmin een enthousiast ochtendmens.

Ze vormden een volmaakt koppel.

Ze hees zich op het rommelige aanrecht. Haar witte, prikkende benen staken uit een marineblauwe boxer van Dan. Het was bizar om te zien dat ze nog steeds zoiets *intiems* van hem aan had, terwijl het tussen hen voorbij was. Het maakte hem... treurig.

De afgelopen week had Dan elke avond in zijn bed liggen denken aan Vanessa, wat ze deed in de kamer ernaast. Hij hoorde haar opstaan om naar de wc te gaan en overwoog per ongeluk tegen haar aan te botsen in de donkere, bekende gang van het appartement. Dan zouden ze in elkaars armen vallen en vurig kussend teruglopen naar Dans bed. Hij zou haar geschoren hoofd strelen en genieten van het gevoel van dat bekende zachte bolletje op zijn borst, en van haar oren die altijd zo warm werden als ze opgewonden raakte...

Toen schudde Dan opeens met zijn hoofd alsof hij water in zijn oren had.

'Alles oké?' Vanessa keek hem wantrouwig aan. Ze schoof van de ene kant van het aanrecht naar de andere en zat nu naast de magnetron.

'Ja, hoor!' Dan had zijn pinken in zijn oren gestopt. 'Ik moet gaan. Ik moet werken en niet te laat komen. Je weet hoe het is!'

'Waarom schreeuw je zo?' vroeg ze zachtjes, haar wenkbrauwen vragend gefronst.

'Sorry.' Dan lachte. Hij dronk zijn koffiebeker in één teug leeg, negeerde het brandende gevoel in zijn keel en reikte voor Vanessa langs naar zijn opgevouwen exemplaar van de *New York Review of Books* om in de metro te lezen. 'Oké, fijne dag,' voegde hij eraan toe en onderdrukte de aandrang om haar te zoenen.

'Doeijjj!' riep ze hem achterna.

Onhandig? Hoezo?

Met de opgerolde *Review* veilig onder zijn vochtige oksel gestoken, sprong Dan de bedompte granieten trappen af naar het legendarisch vuile koffiekamertje voor het personeel bij de Strand. De donkere trap rook naar beschimmelde boeken, wat vies zou moeten zijn, maar eigenlijk was het een van Dans lievelingsluchtjes.

Hij had dertig seconden om zijn krant op te bergen in zijn kastje, zijn naamplaatje eruit te halen en de winkel in te rennen. Geen van de managers in de winkel had enig gevoel voor humor als het over dingen als traagheid ging. Het waren humeurige, liberale pseudo-academici die een bloedhekel hadden aan jongens met een vakantiebaantje in de zaak. Ze noemden jongens als Dan allemaal 'nieuwe jongen' of 'hé, jij daar', ondanks het feit dat hij er nu bijna een maand voltijd had gewerkt en elke dag een naamplaatje droeg, net als zij.

Gewichtig.

Dan stormde de kleine koffiekamer binnen, waardoor hij de deur per ongeluk tegen de muur sloeg en een magere jongen de stuipen op het lijf joeg. De jongen had kort, warrig blond haar en een bril op met een hoornen montuur die te groot was voor zijn vierkante gezicht en grote ogen.

'Sorry,' mompelde Dan, terwijl hij naar het hem toegewezen kastje rende. Het was klein, 30 x 30 cm, en het hing net even boven de betonnen vloer die met stof en tientallen jaren oude sigarettenpeuken bedekt was. Hij toetste zijn sullige cijfercombinatie in – 28/08/1749, de geboortedag van Goethe, de schrijver van zijn lievelingsboek, *Die Leiden des jungen Werthers*. Hij propte zijn krant in het kastje en griste zijn plastic naamplaatje eruit.

'*New York Review of Books,* hè?' vroeg de blonde jongen.

'Wat? Ja.' Dan speldde het goedkope rode naamplaatje op zijn verschoten zwarte T-shirt en keek de andere jongen argwanend aan. Dan had hem nog niet eerder gezien. Was dit zijn eerste dag? Was het mogelijk dat Dan niet meer 'nieuwe jongen' was?

'Ik ben Greg.' De jongen glimlachte. 'Het is mijn eerste dag.'

Vers vlees in beschimmeld boekenland. Klinkt als een bizar feest.

'Cool. Welkom in de hel,' blafte Dan, heimelijk blij.

'Eigenlijk kan ik nauwelijks geloven dat ik hier ben,' ging Greg enthousiast door. Hij keek de kamer rond alsof het de Sixtijnse Kapel was in plaats van een vuil personeelskamertje zonder ramen in een door ratten geplaagd souterrain. Greg had een cowboyachtig *button-down*-hemd aan met korte mouwen, en een afgeknipte kakibroek. Dan moest opeens aan Vanessa denken. Pas geleden was op een middag de stroom uitgevallen in het appartement. Uit protest had ze spontaan de pijpen van haar favoriete zwartkatoenen broek afgeknipt tot shorts. Hij miste haar zo.

'Ik heb hier altijd willen werken,' ging Greg verder.

'Ach, een baan is een baan,' antwoordde Dan ongeïnteresseerd. Natuurlijk wist hij precies wat Greg bedoelde, maar hij vond het leuk om de houding van het overige personeel van de Strand te imiteren. Dat gaf hem een stoer gevoel, alsof hij zo zijn volgende sigaret op de rug van Gregs hand zou uitdrukken. 'Ik heb boven bij de lift een hele kar met oude, literaire tijdschriften zien staan. Ik denk dat je je daarmee zult kunnen bezighouden tot aan de lunch.'

'Klinkt fantastisch!' zei Greg iets te enthousiast. 'Maar moet ik hier beneden blijven wachten? Die man Clark zei dat ik maar vast naar beneden moest gaan. Hij zou zo komen, maar dat is zeker een kwartier geleden en...'

'Nou, Clark weet wel wat hij doet,' viel Dan hem in de rede. 'Ik moet naar boven, maar ik zie je nog wel, Jeff.'

'Greg,' corrigeerde de jongen hem. 'Heeft iemand ooit tegen je gezegd dat je sprekend lijkt op die jongen van de Raves, Dan Nogwat?'

Dan bleef staan. 'Humphrey. Hij heet Dan Humphrey,' zei Dan. 'En ik heet Dan Humphrey.' De carrière van Dan bij The Raves had precies één optreden geduurd op Funktion in Lower East Side. Hij kon zich niet voorstellen dat iemand zich die avond herinnerde. Hij in elk geval niet.

Dat kan een hele fles Stoli met je doen.

'Meen je dat nou, man?' Greg kwam met een uitgestoken hand op hem af. 'Ben jij Dan Humphrey? Ben jij *de* Dan Humphrey, de dichter? Dat jij hier voor me staat! Niet te geloven!

Echt niet te geloven dat je hier voor me staat. Maar eigenlijk is het logisch – jij *moet* wel bij de Strand werken.' Hij schoof zijn lullige, hoornen bril hoger op zijn neus. 'Het is perfect. Ik kan het nauwelijks geloven. Ik was gek van je gedichten, man. Heb je nog nieuwe die ik kan lezen?'

Dan voelde dat hij een kleur kreeg. Vóór zijn poging een rockster te worden had hij in *The New Yorker* een gedicht gepubliceerd dat 'Sletten' heette. Vijf minuten lang was er in de literaire wereld over hem gepraat en hoewel zijn herinneringen aan die tijd warm en donzig waren, kon hij het nauwelijks geloven dat er, behalve zijn vader, iemand was die zich zijn vluchtige contact met de dichterlijke wereld en de dichterlijke roem herinnerde.

'Tja, ook dichters moeten werken,' loog Dan vurig. 'Ik verzamel ideeën voor een korte roman. Daarom heb ik me de laatste tijd wat gedeisd gehouden.'

'Man, dit is zo'n eer. Ik kan nauwelijks geloven dat ik een dichter van *The New Yorker* ontmoet. Niet te geloven.'

'Nou, zo belangrijk is het niet.' Dan maakte een wegwerpgebaar met zijn hand.

Meneer Bescheidenheid.

'Dit is perfect,' ging Greg verder terwijl hij zijn handen in de zakken van zijn net-onder-de-knie-afgeknipte spijkerbroek stopte. 'Luister, ik kan me nauwelijks voorstellen dat ik je dit vraag, maar ík probeer een salon op te richten, je weet wel, zo'n regelmatige bijeenkomst waar mensen die om boeken en muziek geven, schrijvers, dichters en componisten kunnen ontmoeten, én elkaar. Het is heel informeel en de bijeenkomsten zijn bedoeld om te praten over literatuur, dichtkunst, films, muziek en blogs – en ook om het kaf van het koren te scheiden. Maar niet te vaak. Ik denk dat je het vast heel druk hebt, maar misschien wil je meedoen? Of ik bedoel, als je het te druk hebt is dat cool, maar...'

'Een salon?' viel Dan Gregs gemompel in de rede. Eigenlijk klonk het wel gaaf. Hij was bij de Strand gaan werken en had een heleboel stimulerende discussies in de kantine verwacht, over de klassieke boeken, en films uit het buitenland, maar tot nu toe was het meest diepgaande gesprek waaraan hij had deelgenomen gegaan over de vraag van twee collega's of ze een sigaret van hem konden bietsen. 'Dat klinkt cool.'

'Man, het is fantastisch!' riep Greg opgewonden met schorre stem. 'Ik ben nog bezig de details uit te werken, weet je wel, het opstellen van een verklaring over het doel van de salon, en bedenken hoe ik leden moet gaan zoeken.'

'Een verklaring over het doel.' Dan knikte nadenkend. 'Misschien zou ik je daarbij kunnen helpen.'

'Meen je dat?' vroeg Greg. 'Dat is verdomde fantastisch.' Hij trok een balpen met een draaiende regenboog erin, uit zijn borstzak en greep Dan bij zijn hand. 'Ik zal je mijn e-mailadres geven.' Hij krabbelde het in Dans handpalm. 'Stuur me gewoon wat ideeën en ik zal ze wel verwerken. We moeten ook een naam verzinnen. Ik heb bedacht dat we misschien de namen van een paar dode dichters door elkaar konden halen zoals Wadsworth & Whitman, alsof het één dichter was die Wadsworth Whitman heette of Emerson Thoreau, zelfde verhaal. Dat vinden die mannen niet erg.'

Nee? Ze zouden zich omdraaien in hun graf.

'Cool.' Dan trok zijn hand los uit Gregs greep en keek naar het adres dat hij daarin had geschreven. 'Je hoort van me,' zei hij. Hij probeerde niet al te gretig te klinken, hoewel hij razend enthousiast was. Hij had een paar nieuwe vrienden nodig nu Vanessa terecht genoeg van hem had gekregen.

Een woord: verdrietig. Maar ook... een beetje geinig. Op een echt verdrietige manier.

o, wat jij gaat meemaken!

'Oké.' Met een diepe zucht knielde Vanessa op de vloerbedekking van de speelkamer van de familie James-Morgan. De speelkamer was op de vijfde verdieping en het huis lag aan Park Avenue. 'We controleren nog een keer de tassen en dan gaan we. Klaar?'

'Klaar!' riepen Nils en Edgar tegelijk. Ze waren tweelingen en daarom deden ze praktisch alles tegelijk, of ze nu frambozensap morsten op de antieke fauteuils die met ivoorkleurige zijde bekleed waren, of hun longen bijna uit hun lijf schreeuwden (waarschijnlijk om hun moeder eraan te herinneren dat ze inderdaad bestonden). Ze waren schattig op hun eigen manier, maar die manier was bijzonder moeilijk om aan te zien als het jouw verantwoordelijkheid was dat ze schoon en ongeschonden de dag door kwamen. In die positie bevond Vanessa zich. Ze was ontslagen bij haar eerste serieuze Hollywoodschnabbel als cameravrouw bij *Breakfast at Fred's* en in een ogenblik van persoonlijke en financiële wanhoop had ze een baantje als kindermeisje aangenomen.

Bovendien was ze op dat moment dronken geweest. Klaarblijkelijk.

Het was bijna te deprimerend om erover na te denken dat ze twee weken geleden bij privérepetities was geweest in de suite van een grote filmster in het Chelsea Hotel, bezig met haar grootste passie, en nu in een kinderkamer zat, op een zolder in Carnegie Hill die een beetje deed denken aan de tijd van koning Edward VII van Engeland. Ze had een vlek grapefruitjam op haar Levi's en twee jongetjes met snotneuzen die kopjeduikelden aan haar voeten terwijl de filmsterren lagen te zonnen op het strand, slechts een paar kilometer verderop in de Hamptons. Niet dat ze helemaal gek was van filmsterren, maar toch.

'We gaan. Zakdoeken?' vroeg Vanessa.

'Joehoe!' riepen de tweelingen, waarbij ze allebei met een bundeltje Kleenex zwaaiden, die ze in de roze-met-groene boodschappentas van Lilly Pulitzer gooiden.

'Lunch?'

'Joehoe!' Ze mikten twee kleine plastic zakjes gevuld met goudvisvormige crackers van Cheddarkaas in de tas.

'Pakjes sap?'

'Joehoe!'

'Niet gooien!' Vanessa herinnerde zich onmiddellijk de roze vlekken waar ze zo hard op had moeten poetsen om ze uit de bekleding van de antieke stoelen te krijgen.

'Wat niet gooien?' Allison Morgan – ook wel Miss Morgan genoemd – beklom vastberaden de smalle houten trap. Even later stapte ze op haar slangenleren schoenen van Jimmy Choo, met naaldhakken en open hiel, klikkend op de lichte parketvloer de zonnige speelkamer binnen.

'Mammie!' De jongetjes lieten de tassen voor het dagtochtje voor wat ze waren en gooiden zich met hun gezichtjes tegen de ivoorkleurige bouclé van Allisons kokerrokje van Chanel.

'Jullie gaan er dus opuit?' vroeg Allison Morgan op een aanstellerige, hoge toon, terwijl ze de kinderen van zich wegduwde.

Goed gezien, moeder.

'Ik wilde vandaag naar de dierentuin in Central Park,' legde Vanessa uit.

'Jéétje!' riep Allison. 'Central Park? Je weet nog wel wat er vorige keer gebeurd is?'

Natuurlijk wist Vanessa dat nog: ze zou de aanblik van Dan

op skeelers, met om zijn knieën lichtgevende beschermers, hand in hand met een ander meisje, nooit vergeten. Een kakker van een meid was het, met lang haar en helemaal in spandex gekleed. Het was ongelooflijk bizar geweest en absoluut hartverscheurend. De Dan Humphrey die zij kende rookte een sigaret, had een rommelig rocksterkapsel, een vuil T-shirt aan en een bijna belachelijk lange ribbroek in braakselkleuren.

Zo kende ze Dan. Hield ze van hem?

Maar dat was natuurlijk niet wat de militante nieuwe baas van Vanessa bedoelde. Ze bedoelde dat de tweelingen eerder in Central Park diarree hadden gekregen, omdat ze te veel zachte toffees hadden gegeten. De halve nacht waren ze klaarwakker gebleven vanwege alle suiker en ze hadden voortdurend 'toffee-poep!' geroepen.

Vanessa moest voortdurend aan Dan denken. Alles was nu weer een beetje normaal. Of *bijna* normaal. Misschien kwam het door gebrek aan slaap, of door het feit dat ze zo opgelucht was, omdat hij die blonde, op yogatoon pratende gezondheidskakker had afgedankt en de oude Dan terug was, maar verdomme, die ochtend had Vanessa in de keuken nauwelijks haar drang hem te kussen kunnen bedwingen. Hij zag er zo lief uit, slechte koffie slurpend uit die bobbelige beker, met de slaapkorstjes nog in zijn ogen. Het voelde bijna... natuurlijk, zoals ze zich hun leven samen altijd had voorgesteld. Alleen: ze *waren* niet samen. Ze waren alleen maar... vrienden. En ze wilde waarschijnlijk niets doen wat dat kapot kon maken, zoals haar neus in zijn warme, heerlijke, naar oude sigaretten ruikende haar steken. Nee, dat wilde ze absoluut niet.

Leugenaar.

'Luister, Vanessa, ik ben blij dat ik je zie.' Het geluid van Miss Morgans schorre stem-van-te-veel-chardonnay-gisteravond haalde Vanessa terug op aarde. 'Over een paar dagen gaan we naar ons huis in Amagansett. We vinden het ondraaglijk warm in de stad en de jongens zijn dol op het strand.'

'Het strand!' schreeuwden Nils en Edgar, tegelijk natuurlijk. Na deze aankondiging begonnen ze onmiddellijk als gekken door de speelkamer te rennen.

'Je ziet hoe opgewonden ze nu al zijn,' constateerde Allison Morgan. 'Maar goed, wat vind je van dat idee? We hebben een extra suite op de bovenste verdieping van het huis – heel comfortabel, heel privé. Je zou overdag met de jongens doorbrengen en rond, laten we zeggen, een uur of zes vrij zijn, als ze moeten eten. Je verdiensten blijven natuurlijk hetzelfde.'

Vanessa overwoog de situatie: hier stond ze, bezig een lelijke tas – hij deed haar erg aan school denken – te vullen met sap en crackers terwijl er twee kleine maniakken gillend en krijsend om haar heen renden. Wat had zij om naar uit te zien? Weer een nacht liggen staren naar de barst in het plafond van Jenny's kamer, die nog altijd rook naar terpentijn, zich afvragen wat Dan aan het doen was aan de andere kant van de muur, en fantaseren over zijn warme zoenen die naar koffie-met-sigarettenlucht smaakten?

Ze had een hekel aan de zon – ze had niet eens een badpak – en aan alles wat met strand en bruin worden te maken had, dus ook aan de half naakte, stomvervelende mensen die lagen rond te kijken. Maar haar leven was op dit moment zo rot dat het eigenlijk niet eens slecht klonk.

'Amagansett,' articuleerde Vanessa langzaam, alsof het een ziekte was, of een genitale zone, of een land in het Verre Oosten waar ze nooit eerder van gehoord had. 'Dat klinkt heerlijk.'

O, het is heerlijk, onder de juiste omstandigheden.

▷ **gossipgirl.nl**

topics | ◂ vorige | ▸ volgende | stel een vraag | reageer

Disclaimer: alle namen van plaatsen, mensen en gelegenheden zijn veranderd of afgekort om de onschuldigen te beschermen. Mij, vooral.

ha mensen!

Ik onderbreek jullie strakke programma om jullie deze laatste berichten door te geven:

Mijn tipgevers zijn de beste. Je herinnert je misschien een bezorgde lezer die een paar dagen geleden schreef over een paar lookalikes die de gemeenschap in de Hamptons infiltreerden? Blijkt dat het geen grap was: die twee meisjes, die storend veel op ***B*** en ***S*** lijken, zijn een paar bijna-schoonheden uit Estland, ingehuurd door een zekere ontwerper. Ze moeten de gezichten worden van zijn nieuwste onderneming, een lijn confectiekleding die hij deze herfst wil lanceren. Het ziet ernaar uit dat het de problemen verdubbelt (of verviervoudigt). En ik maar denken dat wetenschappers alleen nog maar wisten hoe ze een schaap moesten klonen! Estland is technisch zo geavanceerd. Maar de geschiedenis van deze meisjes deugt niet. Details komen onder het praten vanzelf naar boven! Ik durf er geld op te zetten dat ***B*** er het eerst gek van wordt. Voordat dat echter een feit is, stel ik voor dat we eerst allemaal even een seconde de tijd nemen om de mogelijkheden naar waarde te schatten – zou het hebben van je eigen privélookalike soms niet handig zijn? Ik weet dat ik er afgelopen mei in de examentijd wel heel graag een had gehad, terwijl alles wat *dit* lichaam wilde was luieren in Sheep Meadow. En hoe denk je over het vermijden van vervelende familiebrunches bij Le Cirque? Of een extra paar handen om namens ons wat liefdadigheidswerk te doen? En is het ook niet een beetje 'hoe meer zielen hoe meer vreugd'? Nou ja, zielen... precies! Meer lichamen = minder ruimte op die overbevolkte stranden in de Hamptons. Misschien is het afdanken van die *doppelgänger* niet zo'n slecht idee. (Dacht je echt dat je alle woorden van de toelatingstest vergeet, zodra je toegelaten bent tot de universiteit?) Als jullie alleen maar knikken als antwoord op mijn commentaar over overbevolkte stranden en jullie het niet aan den lijve hebben ondervonden, beschouw dit dan maar als een aankondiging van de Overheid: het doet er niet toe hoeveel mensen 's zomers naar de Hamptons komen. Het is de enige plek waar je kunt rondkijken en gezien wordt. Dus klap die laptop maar dicht, pak een strandtas en neem je spullen mee naar het dichtstbijzijnde privévliegtuig! In geval van nood is de Hampton-pendelbus ook goed – alleen zit je dan een paar uur langer in die ellendige bumper-aan-bumper file. Maar geloof me, het is zeker de moeite waard geweest als je je tenen in het glinsterende zand steekt. Wat een verrukking!

Omdat jullie zonder mij hulpeloos zouden zijn, zal ik hieronder precies beschrijven wat je moet meenemen...

PAKLIJST VOOR EEN HAASTIG VERTREK NAAR DE HAMPTONS

- grote Chanel-zonnebril of de ouderwetse *aviators*. Nepzonnebrillen zijn net als nepfotomodellen: ze zien er op het eerste gezicht aardig uit, maar als je beter kijkt, zijn ze echt niet mooi.

- vochtinbrengende crème van Clarins. Dat hele diepbruine is helemaal uit, net als de espadrilles van vorig jaar.

- lipbalsem van Kiehl met bessentint. Je wilt graag scheidingslijnen tussen bruin en wit vermijden, maar dat betekent nog niet dat je je lippen naakt moet laten.

- een boottas met monogram en bijpassend badlaken, een

designerequivalent van naamplaatjes op je kleren voor zomerkamp. Als je een badlaken kwijtraakt, duim dan dat een lekker ding hem vindt en dat die *jou* dan weer vindt om hem terug te geven.

- water met muntsmaak. Koelt af bij een warme dag in de zon. Bovendien verfrist het je adem, waardoor je steeds zoenbaarder wordt. Mwa! Mwa! Mwa!

- je beste vriendinnen. Je zult iemand nodig hebben om je rug met Coppertone in te smeren. We weten allemaal dat die korte zomeraffaire geen oplossing is voor de lange termijn.

Jullie e-mail

Over korte zomeraffaires gesproken: uit jullie mails blijkt dat jullie allemaal last hebben van ernstige relatieproblemen. Laat mij een handje helpen:

Beste GG,
Ik woon bij mijn ex-vriendje/vriend en nu wil ik een poosje weg. Het is niets persoonlijks – gewoon een vakantie. Wat is het protocol? Zeg ik het tegen hem of laat ik hem er zelf achterkomen?
– Huisgenoot op de Vlucht

beste HodV,
Je weet hoe je huisgenoot zoent, maar dat betekent nog niet dat je de huisregels uit het raam van je penthouse moet gooien. Mag ik de basisregels met je delen? 1)Eten is van de gemeenschap, tenzij er een naamkaartje aan hangt. 2) Bel als je 's avonds niet thuiskomt – we zijn ongerust! En 3) Als je ons niet uitnodigt op je vakantie is het minste wat

je kunt doen een briefje met een cadeautje achterlaten. (Ik heb de nieuwe Marc van Marc Jacobs' strandtassen gezien, maar misschien ben ik de enige die ze leuk vindt). Bon voyage!
– GG

Beste GG,
Ik weet dat mijn ex van de zomer in dezelfde straat woont als ik, maar ik kan er niet achter komen in welk huis. Help!
– Stalker van de buurt

A:

Beste Stalker,
Denk eens aan Hans en Grietje en help hem de weg naar jou te vinden. Als hij is zoals elke jongen die ik ken, zal een spoor van uitgetrokken kleren het zeker doen!
– GG

Gezien

De beruchte vrouw van een lacrossecoach – we zullen haar oude *B* noemen – die uit een tattootent komt in Hampton Bays. Ik vraag me af voor wie de ervaring pijnlijker was: voor haar of voor de tattookunstenaar die haar topless moest zien? Oud-yoga-enthousiast *D*, kettingrokend op de stoep voor de Strand. Het ziet ernaar uit dat die treurige hondsdagen voorbij zijn, op voorwaarde dat iemand anders hem in vorm kan slaan... Zijn zusje *J* helemaal in Praag, bezig een lekker ding te schetsen terwijl *hij* het leven op de plaatselijke markt schetst. Het is leuk om te zien dat het reizen haar niet veranderd heeft! Een zekere bewoner van Manhattan, *C*, die een aap met zich meesjouwt, hamstert Fake Bake zelfbruinende crème in chocolademousse. Jum-jum! Is er in de Hamptons plaats voor nog een bezoeker? *V*, die een Capribroek koopt met een zwart-wit gestreept topje met boothals bij Club Monaco op Broadway. Wat positief zomers van haar. *S* en *B* drinken cocktails met hun lookalikes – hoe gek zou het zijn als zij met zijn vieren elkaars beste vriendinnen werden?!

Oké, lieverds, dat is het voor nu. Ik moet vanmiddag naar de mani- en pedicure en ik kan nog steeds niet besluiten welk drankje ik erbij zal nemen: een zachtroze Bikini met een Martini, een gouden-beige Cabana Boy, of een helderrode cocktail Shop Till I Drop. Beslissingen, beslissingen. Ik kan me in elk geval niet vergissen.

Je weet dat je van me houdt,

gossip girl

b & v ontsnappen uit hun verjaardagskleren

'Leg het me nog eens uit,' zuchtte Serena. Uitgestrekt op haar lage eikenhouten bed bladerde ze in de Japanse *Vogue* van die maand. 'Waarom zitten we binnen op een dag als vandaag?'

De temperatuur op de dag in kwestie was tweeëndertig graden. Het was glashelder en er waaide een minimaal briesje uit zee. Serena keek op van een close-up van een hoogblond Japans fotomodel met *geschilderde* wimpers rond haar ogen. Serena zoog aan een appelrode lolly. Ze zag een uitnodigend koel stuk schaduw onder het brede witte canvas van de parasols langs het zwembad. Vandaag zou zeker een luie dag worden, half in en half uit het water.

'Je weet het antwoord daarop,' zei Blair boos. Ze rommelde ongeduldig door de donkere notenhouten kleerkast waar Annabella, de huishoudster van Bailey Winter, hun kleren had opgehangen. 'Een van die rotmeiden heeft mijn mooie Dolce-zonnejurk gepakt, ik zweer het je; de jurk die je met een veter dicht moet rijgen. Ik kan hem nergens vinden,' jammerde Blair. Ze begon op goed geluk kleren van hun houten hangers te trekken en gooide ze op de grond.

Tja, daar heb je personeel voor.

'Mmmm,' mompelde Serena. Er was niets bijzonders aan het feit dat Blair een driftbui had, hoewel Serena ergens hoopte dat ze de kleren naderhand zou oprapen. Maar sinds ze in het grote, opvallend moderne onderkomen van Bailey Winter waren, had Blair overdreven veel driftbuien gehad – zelfs voor haar doen. Nou, dat zegt wel iets.

Blair was ervan overtuigd dat het uitschot uit Europa, Ibiza en Svetlana, eropuit waren om haar te pakken. Ze bleef hen beschuldigen dat ze haar kleren pikten of haar vochtinbrengende crème van La Mer gebruikten en ze bleef volhouden dat Ibiza, de brunette, alles van haar na-aapte, van de nieuwe boblijn van haar kapsel tot haar keuze van kleren. Serena moest toegeven dat de twee uit Estland angstaanjagend veel leken op Blair en haar, maar ze schenen tamelijk onschuldig. Ze waren alleen maar vervelend, net als de na-apers van de onderbouw op Constance Billard.

Is iemand na-apen niet de meest oprechte vorm van vleierij?

'De zenuwen voor iedereen,' verkondigde Serena terwijl ze haar tijdschrift dichtsloeg en het naast haar bed liet vallen. Ze gaapte. 'Ik ben niet van plan me hier de hele zomer rot te vervelen, alleen maar omdat we een paar rare, loensende meiden met vooruitstekende boventanden willen vermijden. Ik ga zwemmen.'

'Maar ik kan mijn nieuwe marineblauwe genopte wikkelrok van Ashley Tyler nergens vinden,' jammerde Blair. 'Wat is er nou aan om iemands muze te zijn als ik niet gekleed ben om te inspireren? Als die meid Ibiza hem *geleend* heeft, ruk ik haar een van haar broodmagere armen uit, ik zweer het je.'

Dat is de taal van een muze.

'Kom op, Blair.' Serena trok een Gauloise uit het gekreukte pakje op het tafeltje naast haar bed en stak hem aan met de zilveren Dunhill-aansteker die ze van haar broer Erik had gepikt. Zijn monogram – EvdW – stond erin gegraveerd. 'Trek iets aan, dan gaan we. Het is zo lekker buiten.'

'Iets aantrekken? Ik héb verdomme niets om aan te trekken door die stomme na-apers.' Blair gooide met een wanhopig gezicht haar handen in de lucht, alsof de stapels flinterdunne katoenen en zijden kledingstukken om haar heen onzichtbaar waren.

'Trek dan iets lelijks aan en kijk of ze dát na-apen,' stelde Serena geïrriteerd voor. Ze was dol op Blair, echt waar, en ze waren altijd elkaars beste vriendinnen geweest, maar soms had Serena zin om Blair een klap op haar volmaakt gevormde kont te geven.

'Weet je...' Blair gooide zich op het bed en trok de Gauloise uit Serena's mond. Ze nam een trek, inhaleerde diep en kneep haar schitterende, blauwe ogen nadenkend dicht. 'Je brengt me eigenlijk op een idee, Serena.'

'Wat een stralende dag!' Blair gooide de smetteloos schone, glazen tuindeuren van het huisje bij het zwembad open en stapte de felle middagzon in met haar blote armen gestrekt boven haar hoofd. 'Kom op, Serena. Laten we wat zon pakken.'

'Ik kom, ik kom,' giechelde Serena. Ze stapte uit de schaduwrijke bungalow naar buiten, op de door de zon verwarmde hardstenen tegels die de zolen van haar pas gepedicuurde voeten bijna verbrandden. Ze hield haar opgerolde tijdschrift in haar ene en een brandende sigaret in haar andere hand. Haar zonnebril van Cutler en Gross met een wit hoornen montuur bedekte het grootste deel van haar gezicht. Verder was ze spiernaakt.

'Misschien moeten we Stefan vragen om nog wat ijskoffie te brengen,' stelde Blair voor, terwijl ze zich met haar blote billen op een teakhouten bedje liet zakken. Haar enige accessoires waren een kleine gouden enkelband en een extra grote, zwarte Ray-Ban.

'Vat gebeurt?' vroeg Ibiza, terwijl ze haar vijfenveertig kilo uit het zwembad hees. Ze was zo mager dat ze eruitzag als een van die stuur-nu-geld-kinderen uit de Derde Wereld in de commercials op tv, veel te netjes in haar paars-met-goud gestreepte, diep uitgesneden badpak van een goedkoop merk.

'Wat bedoel je?' Serena gooide haar tijdschrift onverschillig in de stoel naast Blairs bedje.

'Joelie kleren,' zei Svetlana beschuldigend. Ze was nog in het water, haar haar, door het vele verven mat geworden, plakte tegen haar hoofd. 'Jullie hebben geen kleren aan!'

'Méén je dat nou?' zuchtte Blair dramatisch, terwijl ze zich op haar buik rolde. De drukkende hitte voelde lekker op haar blote billen. 'Heb je het niet gehoord?'

'Wat gehoord?' vroeg Ibiza, terwijl ze boos naar Blairs elegante, naakte lijf keek.

'Ik neem aan dat het laatste nummer van de Estlandse *Vogue* of wat jullie ook lezen, geen acht geslagen heeft op de naakttrend.' Blair gaapte. 'Dit is het allernieuwste.'

Serena drukte haar sigaret uit in een grote schelp op een glazen tafeltje naast haar stoel. Ze moest nu niet naar Blair kijken, want ze stikte bijna van het lachen.

'Ies het nieuw om naakt te lopen?' Svetlana keek naar de dunne riempjes die de voor- en achterkant van haar bikinibroekje verbonden. Ze had de bikini waarschijnlijk bij het postorderbedrijf van Victoria's Secret besteld. Het water vervormde haar lichaam, zodat het bijna leek of ze inderdaad heupen en andere rondingen had.

Alleen maar een optische illusie.

'Ja, duidelijk,' schold Ibiza, terwijl ze de bandjes van haar badpak omlaag trok. Haar lijf, met zijn grenzen tussen bruin en wit zag er nogal wirwarrig uit. 'Diet ies veel beter. Is Europees eigenlijk,' zei ze.

'Maar topless is zo *netjes*.' Serena geeuwde overdreven, keek in haar tijdschrift en probeerde zich goed te houden. 'Blair en ik liggen zeker al vanaf ons elfde topless op het strand.'

'Klopt,' zei Blair. Plat op haar buik lag ze. Ze legde haar

hoofd opzij en deed haar ogen dicht.

'Goed.' Ibiza hapte toe. Ze trok haar afschuwelijke badpak uit. Het viel met een natte klap op de tegels. 'Natuurlijk, iek wiel niet dat joelie je ongemakkelijk voelen, nee?'

'Nee,' stemde Svetlana treurig in. Ze trok haar suffe rode, genopte bikini uit en legde hem op de rand van het zwembad. Toen sprong ze in het water en zwom verlegen weg. Haar lichaam leek een flits van ondervoede witheid.

'Zo blij dat wij nu allemaal kunnen relaxen, ja?' vroeg Ibiza. Ze klonk zelfverzekerd, maar zoals ze daar stond zag ze er niet zelfverzekerd uit met haar rood-met-witte lijf, spiernaakt. Blair zag dat haar borsten asymmetrisch waren alsof ze er verkeerd opgeplakt waren. Misschien was dat ook wel zo.

'Hebben joelie dat lekkere dieng gezien van hiernaast?' begon Ibiza in een zwakke poging tot wat geroddel, terwijl je naakt bent. Ze schudde haar handen uit, alsof ze aan het verbranden waren.

'Misschien moeten we Stefan om nog wat ijskoffie vragen,' stelde Serena voor, terwijl ze deed of ze de laatste opmerking van Ibiza niet had gehoord.

'Ja, klienkt koed.' Ibiza knikte en liep toen langzaam en met opzet naar de tafel die door de parasol overschaduwd werd. Ze trok een van de zware houten stoelen onder de tafel uit en liet zich er – o, zo nonchalant – in zakken waarbij ze één been onder zich trok. 'Ik roep hem. Stefan! Stefan!'

Serena hield haar adem in en luisterde naar het geluid van naderende voetstappen.

'Nu,' fluisterde Blair.

Tegelijk sprongen Blair en Serena op. Hysterisch lachend renden ze over het fluweelzachte gazon in een dicht bebladerd bosje een eindje verder in de grote, zonnige tuin.

'Kijk, kijk!' Serena dook weg achter de takken van een kleine eik en wees naar de plek die ze net waren ontvlucht: Stefan was verschenen, gekleed in zijn gebruikelijke ensemble van een strak wit T-shirt en een donkerblauwe bermuda. Hij droeg een leuke haarband van geribde zijde om zijn dikke haar uit zijn bruine ogen te houden. Die ogen waren nu groot van de schrik. Ibiza zat voor hem met haar bizarre bleek-en-bruingevlekte lichaam. Ze stak haar borsten naar voren in een poging er sexy uit te zien, maar de vreemde vormen staken allebei een andere kant uit. Svetlana had juist dat moment gekozen om eindelijk uit het water te komen, druipend nat. Ze pakte haar iPod op, stak de dopjes in haar oren en begon te dansen, zwaaiend met haar dunne, witte armen. Ze zag eruit als een albino flamingo. 'Ratfucker!' zong ze hard. Ze begreep de woorden van het nummer van Coldplay totaal verkeerd.

Serena en Blair schaterden het uit in hun bosje. Serena had een kleur en giechelde als een klein meisje. Opeens schoot haar een scène te binnen van jaren geleden, precies zo'n situatie, toen ze veel jonger waren. Blair en zij trokken hun badpakken van Lands' End uit achter een paar frambozenstruiken in hun tuin in Ridgefield, Connecticut. Nate bleef dreigen dat hij achter hen aan zou komen en ze lachten zo hard dat ze zichzelf aan de struiken prikten en hun voeten verkeerd in de pijpen van hun badstoffen shorts staken.

'Wat i-is dit verd...'

Serena kon haar ogen niet geloven. Het was bijna alsof ze hem betoverd had. Nate stond met gefronste wenkbrauwen voor hen. Hij veegde de splinters van zijn kakishorts nadat hij over de houten schutting tussen de twee grote villa's was gesprongen.

'Natie!' Serena rende naar hem toe en vloog hem om zijn hals. Ze vergat totaal dat ze naakt was. Hij knuffelde haar en klopte onhandig op haar blote schouder. Giechelend rende ze terug naar Blair, terwijl ze een bladerrijke tak voor haar naakte lijf hield.

Blair had een grijns op haar gezicht. Het leek op de een of andere manier zo goed om Nate nu tegen te komen. Er was iets wat zo zonneklaar was tussen hen drieën nu ze elkaar weer zagen, zelfs al had twee derde van hen geen kleren aan.

'Strippen, Nate!' riep Blair en rende achter hem aan alsof ze zijn shorts naar beneden wilde trekken. Hij dook weg achter een eikenboom. 'Naakt zwemmen?' vroeg Nate, terwijl hij van achter een boomstam naar hen gluurde.

Serena glimlachte, terwijl ze naar het gezicht van haar oude vriend of vriendje, of wat Nate ook was, keek – ze wist het niet eens. Die verwarde uitdrukking op zijn gezicht, die groene ogen die een beetje slaperig keken van het blowen. Hij was niets veranderd. Maar deze keer keek Nate helemaal niet naar haar, hij staarde met open mond naar *Blair*.

'Naakt is de mode,' zei Blair zakelijk. Ze legde een hand op de ronding van haar heup. 'Heb je dat nog niet gehoord?'

Blair had natuurlijk geweten dat hij ergens in de buurt was, maar ze had niet gedacht dat hij op zoek zou gaan naar *hen*. Hun hele relatie had altijd gedraaid om het najagen van hem en proberen achter zijn bedoelingen te komen. Serena zou hem het liefst vastbinden aan haar bed, natuurlijk niet op een enge manier, maar zó dat ze hem in het oog kon houden en ervoor zorgen dat hij niets stoms uithaalde. Maar nu was hij hier en hij was blijkbaar op zoek naar hen. Of, denkend aan de manier waarop hij haar aankeek, was hij op zoek naar *haar,* naar *Blair?*

'Absoluut,' bevestigde Serena in gedachten, terwijl ze haar armen over elkaar sloeg. Het feit dat Nate niet naar haar keek gaf haar het gevoel dat ze nog naakter was. Ze had nooit om Nates aandacht geschreeuwd, maar ze had hem wel gewild. Ze had hem altijd gewild. Op dat moment greep Blair Serena bij haar elleboog en trok haar mee naar het zwembad.

'Wacht, eh... w-waar gaan jullie heen?' stamelde Nate.

Blair pakte al rennend Serena stevig bij haar hand. 'Kijk maar eens goed!' riep ze over haar schouder terwijl ze over het stenen pad naar de hordeur van hun huisje stoven. 'En denk vanavond aan ons!'

Maak je niet bezorgd. Dat doet hij.

newyork.craigslist.org/groepen
Aankondiging van een oprichtingsbijeenkomst, Gedicht van Mij.
Literaire Salon (Manhattan)

Wees blij, arrogante woordensmeders! Het doet ons genoegen de oprichting aan te kondigen van een nieuwe en exclusieve literaire groep, in de grote traditie van de Europese salons van Gertrude Stein en Edith Sitwell.

Wij zijn twee nederige dienaren van het geschreven woord: een van ons tweeën is een opschepperige, jonge dichter en songwriter met een semi-internationale naam, de andere een lezer en denker die Wilde en Proust hoog in het vaandel draagt. We zoeken gelijkgestemde jonge mannen en vrouwen die houden van lezen, schrijven en *praten* over lezen en schrijven, en misschien een glas Chianti drinken of wat ook. Kijk naar onderstaande stellingen en vragen. We zullen elk antwoord zorgvuldig lezen en uitnodigingen sturen voor onze oprichtingsbijeenkomst van een met zorg gekozen groep kritische New Yorkers.

Dichtkunst verdient een belangrijker rol in de cultuur van vandaag. Er zou een verkiezing moeten komen van het *Amerikaanse Idool onder Dichters.* Mee eens/oneens?
Wat is je lievelingswoord? Aan welk woord heb je de grootste hekel? Schrijf een zin op waarin beide woorden tegelijk worden gebruikt. Voorbeeld: *Prut. Toastje. Zittend in de regenboogkleurige, bruine kakkerlakprut, at Bonita een toastje met vlindervleugels.*

Geïnteresseerde deelnemers wordt verzocht een foto mee te sturen. We willen zeker weten dat je geen 12 bent. Of 112.
We zien uit naar enige inspirerende conversatie!

n's grote ontsnapping

'Daar ben je dan!'

Babs Michaels stond aan het goedkope formica-aanrecht van haar krakkemikkige keukentje en arrangeerde op artistieke manier schijven meloen op een groot bord met roerei en beboterde toast. Nate wreef met de onderkant van zijn hand door zijn bloeddoorlopen ogen en gaapte. Een seconde lang gaf dit beeld, een zeer gebruinde vrouw die ontbijt klaarmaakte, hem een terugblik op de tijd toen hij nog klein was. Hij stommelde altijd naar beneden naar de keuken in hun huis in Upper East Side en vond daar Cecille, de kok uit Barbados, die warme toast met kaneel voor hem klaarmaakte, voor hij 's morgens naar school – St. Jude – ging.

Maar hij was geen kind meer en Babs, met haar flinterdunne, zachtpaarse, korte ochtendjasje en haar strakke, tanige huid was zeker geen Cecille. Bovendien had hij al twee aardbeientaartjes gegeten in het huis van zijn ouders in Georgica Pond.

'Goedemorgen,' mompelde Nate. Hij keek argwanend toe, terwijl Babs schor neuriënd het volgeladen bord op tafel zette.

'Je hebt vandaag een stevig ontbijt nodig, of niet, Nate? Met al dat zwoegen en zweten in de hete zon.' Ze kwam iets dichter naar hem toe en legde een stevige, koele hand op de biceps in zijn rechterbovenarm die tevoorschijn kwam uit de mouw van zijn marineblauwe polo van Ben Sherman.

'K-k-klopt.' Nate trok zich los uit haar vastbesloten greep en ging aan tafel zitten. Hij had inderdaad honger en het bord met roerei en de licht gebruinde toast zag er aanlokkelijk uit, maar zelfs met zijn duffe vroege-ochtendhoofd zag Nate waar dit zou eindigen. Hij zou beginnen te eten. Babs zou hem nog een glas inschenken uit de royale kan sinaasappelsap dat ze net geperst had. Ze zou hem vragen nog wat zalf op haar tattoo te doen. Dan zou ze voorstellen samen een duik te nemen in het warme bad waarover de coach het altijd had. En voor hij het wist zou ze hem aan haar bed vastbinden en de glibberige, overgebleven schijven meloen over zijn blote lijf uitsmeren of zoiets.

De liefde van een man gaat door zijn maag, wordt altijd gezegd. De gedachte om naakt met Babs in bed te liggen maakte Nate doodmisselijk, maar hij voelde ergens in zijn buik een steek van verlangen. Dat kwam zeker niet van het paarse nylon jasje waarin Babs rondfladderde en dat nauwelijks lang genoeg was om haar nog een beetje strakke maar ook al slappe middelbareleeftijdbillen te bedekken. Het had meer te maken met de herinnering aan Blair, die alleen maar gekleed was geweest in glanzend zweet en eau de toilette, en ondeugend tegen hem gegrijnsd had toen hij haar de vorige dag had ontdekt in de buitengewoon *gay* tuin van de buren. Hij had haar vaak genoeg naakt gezien, maar in het volle daglicht, met haar mooie schouders een beetje bruiner dan de rest van haar lijf, had hij haar mooier gevonden dan ooit. Hij zag de kleine, bekende, appelvormige moedervlek op haar heup en had zich moeten bedwingen om haar niet beet te pakken en die moedervlek te zoenen.

'Wat is er aan de hand, schat?' vroeg Babs terwijl ze van achteren naar hem toe liep. Even later voelde Nate haar rare, harde borsten tegen zijn rug. 'Heb je geen trek vanmorgen?'

Hij sprong op uit zijn stoel alsof hij een elektrische schok had gekregen en zijn stem klonk veel harder dan hij bedoeld had: 'Weet je, ik moet.. eh... ik moet even iemand bellen.'

'Iemand bellen?'

'Ja.' Hij werd vuurrood. 'Is dat goed? Ik bedoel: mag ik even? Ik weet dat ik hier eigenlijk alleen maar werk, eh... Bellen in de tijd van de baas en zo...'

'Je hoeft me niet te vragen of het goed is,' fluisterde ze. 'Er is niets wat ik je ooit zou verbieden, Nate. *Niets!*'

'Bedankt!' Hij stormde de keuken uit naar de zonnewaranda aan de achterkant van het huis. Hij groef in de zak van zijn shorts naar zijn Motorola Pebl, scrolde door zijn adresboek en toetste vlug het eerste nummer in dat hij tegenkwam: Anthony Avuldsen, zijn lacrosseteamgenoot en de jongen die hem al eens eerder die zomer had gered, toen hij verwikkeld was geraakt in een moeilijke romance met een enthousiast meisje dat meer problemen bleek te veroorzaken dan plezier.

Geldt dat niet voor hen allemaal?

De telefoon was vijf keer overgegaan en hij wilde de verbinding net verbreken toen Anthony opnam met een vriendelijke, harde schreeuw: 'Hé, hoe gaat-ie?'

'Man, waar ben je?'

'Op weg naar het strand!' schreeuwde Anthony boven de autoradio uit die *Back in Black* speelde van AC/DC, zo hard dat Nates telefoon ervan schudde. 'Kom je ook?'

Nate staarde naar het kleine, glinsterende, rechthoekige zwembad van de coach en het gras daarachter dat lang niet gemaaid was en boven de rand van het bad uitstak. Hij kon het uitschreeuwen bij het idee dat hij dat gras moest maaien; de gedachte dat hij zich moest omdraaien en teruggaan, het huis in en gemolesteerd worden door Babs gaf hem het gevoel dat hij met iets zwaars moest gooien.

'Of ik kom?' herhaalde Nate langzaam. 'Ja, graag. Ik ben in het huis van de coach in de Bays. Pik je me even op?'

'Jou oppikken?' schreeuwde Anthony. 'Cool, ja. Geef me tien minuten.'

Nate schoof de telefoon terug in zijn zak en slaakte een diepe zucht. Hij moest zijn zenuwen stalen.

'Alles goed?' Babs schoof de glazen deur naar de waranda open en stapte naar buiten. De ceintuur van haar ochtendjasje was losgegaan en het jasje hing nu van haar schouders als een cape, waarbij haar ingewikkelde, kanten ondergoed met tijgerprint tevoorschijn kwam. Het deed Nate denken aan het soort badpak dat zijn excentrieke Franse oma – die nu overleden was – had gedragen tijdens een familiereis naar de Turks- en Caicoseilanden toen hij nog klein was.

Oei, wat een betovering!

'Eerlijk gezegd voel ik me niet lekker.' Het was geen echte leugen, omdat de gedachte aan wat er zou kunnen gebeuren als hij hier niet wegging, hem lijfelijk ziek maakte. Ineenkrimpend van de pijn – maar zonder het te overdrijven – begon Nate te hoesten.

'Arme jongen,' fluisterde ze, waarbij ze met een hand haar dunne ochtendjasje dichthield. Haar andere hand legde ze op zijn gefronste voorhoofd. 'Je voelt inderdaad een beetje warm aan.'

Moederlijk instinct en *Basic Instinct* – wat een storende mengeling.

'Ja,' antwoordde hij, terwijl hij een stapje naar achteren deed. 'Ik weet niet of ik het gazon vandaag kan doen.'

'Nee, natuurlijk niet. We moeten je uit die kleren trekken en in bed stoppen. Ik kan een lekkere kruidendrank voor je...'

'Ik wil eigenlijk het liefst naar huis,' onderbrak Nate het storende quasi-pornoscenario dat Babs beschreef. Hij wilde haar Mrs. Robinsons fantasieën niet inruilen voor een verpleegstersspelletje. 'Ik geloof dat ik de auto hoor die me komt ophalen.'

'Rust goed uit en neem het er lekker van,' fluisterde Babs. 'Maak je niet druk over het werk. Ik zal tegen de coach zeggen dat je even rust nodig hebt. Hij vraagt te veel van je.'

'Bedankt.' Nate knikte dankbaar terwijl hij van de waranda af sprong. Hij vergat dat hij ziek behoorde te zijn en gaf een schreeuw van enthousiasme toen hij een autoclaxon hoorde en Anthony's zwarte BMW veel te hard de oprit van de coach op zag draaien. *Gered.*

'Weet je zeker dat je alleen maar *doet* of je ziek bent?' Anthony keek even opzij, naar Nate die onderuitgezakt in de crèmekleurige leren stoel naast hem zat en zijn hand boven zijn ogen hield tegen het felle zonlicht.

'Nee, man, het is goed met me,' verzekerde Nate hem terwijl hij met de ventilatieroostertjes op het dashboard rommelde, totdat de koude luchtstroom recht in zijn gezicht werd geblazen.'Babs begon eh... *avances* te maken.'

'Ga weg!' Anthony lachte en draaide de radio zachter die nu de nieuwste cd van Reigning Sound liet horen. 'Vertel! Ik wil alles horen!'

'Er is niets te horen,' mompelde Nate, grijnzend ondanks zichzelf. 'Je krijgt er alleen maar gruwelijke nachtmerries van, wekenlang.'

Nate keek uit het raam naar het landschap dat voorbij suisde: de groene weiden, de diepblauwe lucht, de verweerde, enorme huizen met de naamborden van artsen, advocaten of rechters. Alles werd wazig, het werd een mengelmoes van beelden die hij niet kon ontwarren. Het deed hem denken aan de zomer zoals hij tot nu toe was geweest: niets anders dan een stroom van allerlei momenten die hij niet uit elkaar kon halen om er duidelijke gebeurtenissen van te maken. Hij zuchtte. Het was zo deprimerend om te beseffen dat de enige gedenkwaardige momenten van de zomer waren: een feest in de City dat helemaal flopte en waar hij in de steek werd gelaten door zijn date, en gisteren, toen hij Blair en Serena naakt betrapte bij het zwemmen of wat ze ook aan het doen waren.

'Ik heb Blair Waldorf en Serena van der Woodsen gisteren naakt gezien,' zei hij opeens. Hij pakte de joint die hij die ochtend al had gerold en in een pakje Marlboro gestopt dat iemand bij hem thuis had laten liggen. Hij liet het raam zakken en stak de joint op.

'Trio?' vroeg Anthony, terwijl hij tegen Nate gebaarde hem ook een trek te geven. 'Jij hebt wat je noemt geluk, klootzak!'

Nate gaf de joint aan zijn vriend. 'Mmm, ik weet niet,' zei hij, hoewel een heel intrigerend beeld in zijn hoofd vorm begon te krijgen.

Hoe kan dat?

'Ze zwommen naakt in de tuin van mijn buurman,' ging hij verder. 'Het was zo vreemd.'

'Ze zwommen naakt?' herhaalde Anthony. Hij nam een lange hijs van de joint en maakte op hetzelfde moment een bocht naar links. 'Echt wáár?'

'Blair, man, Blair is echt eh...' Nates stem stierf weg terwijl het beeld van Blair, naakt, een beetje bezweet, tegen hem lachend, zijn visie benevelde. Hij wilde op dat moment niets anders dan zijn armen om haar heen slaan.

'Ik snap het,' zei Anthony terwijl hij heftig zat te knikken. 'Ik bedoel, jullie hebben samen *iets*. En het is, verdomme, onze *laatste zomer*. Het is zoiets als *Pluk de verdomde dag,* of niet?'

'Pluk de verdomde dag.' Hij nam nog een hijs van de joint en slikte, terwijl hij zijn ogen dichtdeed. *Pluk de verdomde dag.* Wat een idee. Het was... inspirerend. Hij keek opzij en glimlachte bewonderend tegen Anthony. Hij was een genie.

Of was hij misschien high?

'Serieus, man,' ging Anthony verder met de joint in zijn hand. 'Ik heb het je toch gezegd, of niet? We moeten er ernstig over gaan nadenken. Hoe maken we het leuk voor onszelf.'

Nate knikte. Het was *inderdaad* zover dat hij serieus ging

nadenken over hoe hij zijn leven leuk kon maken. Coach Michaels en zijn hitsige vrouw konden de zenuwen krijgen, en het gazon en Nates verantwoordelijkheid ook. Hij was van plan de dag te plukken, verdomme.

En misschien was er ook nog een bloem die geplukt wilde worden!

de verdwenen kunst van het brieven schrijven

Van: Steve N. <holdencaufield1@yodel.com>
Aan: anon-239894344239894344@craigslist.org
Onderwerp: Aankondiging oprichtingsbijeenkomst Gedicht van MIJ. Literaire Salon (Manhattan)
Datum: 9 juli, 16:37:07

Aan wie dit leest:

Met groot genoegen las ik uw aankondiging. Ik wil wanhopig graag omringd worden met gelijkgestemden die de kracht van het geschreven woord net zo hartstochtelijk toegewijd zijn als ik.

In de geest van het ware iconoclasme, ga ik niet in op uw uitnodiging tot het beantwoorden van welke van uw vragen dan ook. Ik vermoed dat u alleen maar echt geïnteresseerd bent in onafhankelijke geesten die niet bereid zijn zich aan uw dwaze vragen te onderwerpen.
Wees ervan verzekerd dat ik leef door het boek en ik zal sterven door het boek.

Groeten,
Steve

Van: Cassady Byrd <brontebyrd@books.com>
Aan: anon-239894344329894361@craigslist.org
Onderwerp: Aankondiging oprichtingsbijeenkomst, Gedicht van Mij. Literaire Salon (Manhattan)
Datum: 9 juli, 20:04:39

Ik kon het niet geloven toen ik jullie mail las. Helemaal goed, klootzakken! Ik vind het uitstekend om bij elkaar te komen en te praten… en misschien meer te doen!!!!

Mijn lievelingswerkwoord is 'houden van'. Het werkwoord waaraan ik de grootste hekel heb is 'haten'. Je zult gaan haten hoeveel je van me houdt. Oprisping!

Mijn foto gaat hierbij…

xoxo
CB (alias Charlotte Brontë)

Van: Bosie <lord alfred douglas@earthlink.com>
Aan: anon-239894344329895002@craigslist.org
Onderwerp: aankondiging oprichtingsbijeenkomst, Gedicht van Mij. Literaire Salon (Manhattan)
Datum: 9 juli, 22:31:14

Zag uw aankondiging. Hevig geïntrigeerd.

Mijn lievelingsboeken:
Het Portret van Dorian Gray, Oscar Wilde
Interview met de vampier, Anne Rice

Lievelingsfilm: *Party Monster* met Macaulay Culkin

Lievelingsnummer: 'Walk on the Wild Side' van Lou Reed.

Lievelingswoord: bijten
Woord waaraan ik de grootste hekel heb: verslikken
Ik beet hem en verslikte me.

Zoals u aan mijn foto kunt zien ben ik een jongen die ervan houdt chic gekleed te gaan.

waar het de hamptons betreft is v nog geheel maagdelijk

'We zijn er!' kondigde Allison Morgan aan, terwijl ze haar crèmekleurige Mercedes een ronde oprit opdraaide die met zachtroze, gebroken zeeschelpen bedekt was.

Eindelijk. Na een afmattende vier uur durende file op de Long Island Expressway kwamen ze eindelijk aan bij het nouveau-Victoriaanse landgoed van James-Morgan-Grossmans in Amagansett. Vanessa stapte nieuwsgierig uit de auto en voelde het knarsen en knerpen van de schelpen onder haar voeten. De lucht werd roze van de zonsondergang en het rook naar een barbecue in de verte en pas gemaaid gras. Ze voelde zich zeer opgelucht. Misschien was een poosje weg uit de City precies wat ze nodig had.

Allison Morgan liep voor haar uit en duwde de zware antiekrode voordeur open. De jongetjes stommelden naar binnen en dromden om Vanessa heen. Het meisje glimlachte een beetje dwaas om niets in het bijzonder. Niet dat ze iets om deze dingen gaf, of ze zelfs maar opmerkte, maar ze kon het niet helpen. Ze keek met open mond naar, eh... naar alles eigenlijk: de dubbelhoge ramen die de voordeur aan weerskanten omlijstten, de blauw-met-wit gestreepte bakken in de hal – die Vanessa aan school deden denken – gevuld met strandspullen, de reusachtige kamer die zich voor haar uitstrekte, het uitnodigende turquoise zwembad in de tuin, direct daarachter. Het was helemaal niets voor haar. Aan de andere kant, alles wat wel iets voor haar was, was de laatste tijd alleen maar volledig mislukt.

Wellicht moest ze het gemakkelijke, zonnige leven van hier maar omhelzen? Misschien hielp al dat sombere denken niet?

Vanessa liep achter de jongens aan naar de gigantische keuken, waar Miss Morgan de briefjes las die het dienstmeisje, de tuinman en de jongen die het zwembad onderhield hadden achtergelaten. Alles was zo... superverzorgd. Vanessa zag de warme zomerse dagen al voor zich: *The New Yorker* lezen bij het zwembad, af en toe een foto maken van het glinsterende wateroppervlak, in zwart-wit. Ze zou naar binnen rennen en een sandwich met gerookte Goudse kaas maken in de goed bevoorrade keuken en hem opeten, terwijl ze de grenzen van de grote tuin verkende en genoot van de rust en de vrede.

Home, sweet home.

'*Mammmmmiééle, we hebben hóóóngerrr,*' jammerde Edgar. Vanessa schrok op uit haar dromerijen. O ja, *zij*.

'Vanessa maakt iets voor jullie klaar,' glimlachte Allison Morgan. Ze klopte haar zoon zachtjes op zijn hoofd, zonder de moeite te nemen om Vanessa aan te kijken.

'Ja, natuurlijk.' Vanessa zette haar zwarte katoenen legertas van de marine op de geboende blankhouten vloer en trok de deur van de zware roestvrijstalen ijskast open. Er lagen stapels verse dingen in, plastic dozen met allerlei salades, en zalmfilets met kruiden bereid en gegarneerd met gele bessen. Waar waren de koude restjes kip of pindakaas en jam?

Achter haar begonnen Edgar en Nils een worstelwedstrijd op de keukenvloer. Vanessa liet dat meestal toe, in de hoop dat ze net zo moe zouden worden als de jonge hondjes die ze ooit filmde tijdens de hondenrennen op Union Square. Ze had toen gehoopt een hondengevecht te pakken of een van die ratten-etende haviken die de City had losgelaten. Ze zouden naar beneden duiken om een chihuahua te pakken, maar ze was gedwongen om in plaats daarvan te kiezen voor spelende mopshondjes.

Ze dacht dat de jongens uiteindelijk op hun rug terecht zouden komen, net als de hondjes, hijgend, hun tong aan de zijkant uit hun mond hangend.

'Jongens!' schreeuwde Allison Morgan terwijl ze de messcherpe vouw in haar kakibroek gladstreek. Haar ivoorkleurige tanktop was versierd met een dikke, bruine satijnen sjaal die om haar middel gewikkeld was. Als je naar haar vreemd strakke gezicht keek met de hoge jukbeenderen, was het moeilijk te zeggen of ze tweeëndertig of vijfenvijftig was. 'Jullie kunnen naar boven gaan en je klaarmaken voor het avondeten.'

Ze kwam weer naar Vanessa toe, waarbij de wigvormige hakken van haar houten sandalen op de vloer klakten. 'Vanessa, we eten vanavond zalmfilets. Als je een kleine verse salade in elkaar kunt draaien, en misschien een dille-yoghurtsaus maken voor op de vis, zou dat geweldig zijn.'

Wacht. Een salade in elkaar draaien? Zag ze eruit als, als de...

Help? Oké. Maar ze had in haar hele leven nog nooit iets ingewikkelders klaargemaakt dan rijst met ragout uit een pot.

'Afgesproken,' zei Vanessa, terwijl ze in de groentelade van de ijskast naar dille begon te zoeken. Boven hoorde ze de jongens die knallende geluiden maakten en het op een gillen zetten. Ze draaide zich om met een paar bosjes kruiden in haar hand. Was dit dille? Selderie? Bieslook, verdomme? Toen zag ze iets heel angstaanjagends: de bleke, magere billen-met-kuiltjes van Allison Morgan.

O. Mijn. God. Vanessa draaide zich vlug weer om. Zelfs met de kou van de koelkast in haar gezicht voelde ze dat haar wangen begonnen te gloeien. Ze schraapte luid haar keel – was Allison Morgan vergeten dat zij er ook was, of wat? – draaide zich opnieuw om en hield de bosjes kruiden voor haar gezicht.

Ze gluurde door het groen heen en zag haar werkgeefster staan, met haar handen in haar zij op haar houten sandalen met de wigvormige hakken, in een doorschijnende rode string en een zwarte kanten beha.

'Is er iets mis?' vroeg ze.

'Eh, nee, natuurlijk niet.' Vanessa had opeens grote aandacht voor haar nagelriemen. Haar handen waren heel ruw! Maar ze moest toch even vlug kijken, toen Allison Morgan, geëmancipeerde vrouw van de eenentwintigste eeuw, haar beha losmaakte en hem – o-zo-onverschillig – op de leuning van een keukenstoel liet vallen.

Vanessa dwong zich haar baas aan te kijken. 'Eh, zou u me even willen excuseren? Ik zou graag mijn spullen naar mijn kamer brengen.' Ze *moest* daar weg.

'Drie trappen op.' Allison Morgan begon in de boottas met haar monogram erop te scharrelen, waarschijnlijk op zoek naar iets om aan te trekken.

Laten we het hopen!

Vanessa gooide haar legertas over haar schouder en rende met twee treden tegelijk de houten trappen op. Ze probeerde het beeld van Miss Morgans string uit haar geest te wissen. Wie droeg er nog een string tegenwoordig? Ja, superenthousiaste dertienjarigen die het leuk vonden de bovenkant van de string boven hun lage jeans uit te laten komen.

Très passé.

En er zijn grenzen, dacht Vanessa. Het leek wel of ze de kat van de familie was in plaats van een menselijk wezen. Ze wilde nodig terug naar de echte wereld, wilde onder mensen zijn die haar respecteerden en niet deden of ze bij het meubilair hoorde. Ze was pas een kwartier in de fotogenieke Hamptons en klaar om weer te vertrekken.

Boven aan de derde trap gekomen liep Vanessa naar haar zolderkamertje. Zou ze hier ten minste wat privacy hebben, en misschien zelfs een beetje luxe? Ze keek om zich heen, op zoek naar een deur die ze dicht kon doen. Maar nee, de trap kwam regelrecht uit in de zolderkamer, waar het schuine plafond zo laag was dat ze moest bukken om binnen te gaan. Wat. Was. Dit. Verdomme?

Terwijl ze met diep zuchten zichzelf probeerde te kalmeren liep ze rechtop door het midden van de hete, stoffige ruimte – dat was de enige plek waar ze kon lopen zonder zich te hoeven bukken. Ze liet haar tas op de grond vallen en probeerde het enige kleine raam in de kamer open te maken. Het zat vast. Meer dan vast. *Het was dichtgeschilderd.* Shit, shit, shit.

Vanessa trok haar bezwete, verschoten, zwarte T-shirt uit en ritste haar tas open. Ze duwde de tondeuse voor haar haar opzij en het badpak met de geel-met-zwarte-bijenstrepen dat ze uit Jenny's la met ondergoed had gepikt, toen ze op zoek was naar haar zwarte tanktop van geribbelde katoen.

'Ah, je hebt het gevonden.'

Ze draaide zich om en zag Allison Morgan in een witte zonnejurk boven aan de zoldertrap staan. Ze was gelukkig weer aangekleed. Vanessa helaas niet.

Dit was niet helemaal de hete zomer die ze in haar hoofd had.

AIR MAIL – PAR AVION – 10 JULI

Hoi Dan!

Hoe gaat het in New York City? Ik ben helemaal wég van Praag. Ik zit hele middagen op terrasjes en doe of ik zit te tekenen, maar kijk in werkelijkheid graag naar alle Europese jongens, eh... gebouwen! (Kijken kan geen kwaad, toch?) Ik mis alleen jou en pa. Schrijf alsjeblieft terug. Maak je niet druk, het hoeft geen novelle te zijn, een paar regels is genoeg. Jou kennende zul je waarschijnlijk een Japans gedicht van 17 lettergrepen sturen.

Ik hou van je!

Jenny

lezen is essentieel

Met twee treden tegelijk rende Dan de gammele trap af naar het souterrain van de Strand. Ongeveer dertig seconden later was hij in de kleine koffiekamer voor het personeel. Dat was een persoonlijk record. Sinds de vorige avond was hij nogal somber geweest. Hij had met Greg de e-mails gelezen van mogelijke leden van de salon en vond, toen hij thuiskwam, een plakkertje op de deur van de ijskast. Het was aan hem en Rufus gericht en was geschreven in Vanessa's vreemde, jongensachtige handschrift: *Ben naar de Hamptons wegens werk. E-mail met details volgt. In ijskast halve sandwich met kalkoen. –V*

Dan had de ijskast opengetrokken en de sandwich gevonden met daarop nog een geel plakkertje waarop heel simpel *Eet me op* stond. Hij kon niet geloven dat ze gewoon verdwenen was.

Hij had zichzelf de hele dag op zijn werk gegooid in een poging niet aan haar te denken, wat opeens uitstekend gelukt was, toen hij verouderde levensbeschrijvingen aan het opbergen was. Het lege gevoel in zijn binnenste was onmiddellijk gevuld met opwinding. Hij *moest* het delen. Hij schoof de deur met het bordje PRIVÉ erop met zijn schouder open en schreeuwde: 'Greg? Ben jij hier binnen?'

Natuurlijk was het absoluut niet noodzakelijk om te schreeuwen, want de koffiekamer had ongeveer het formaat van een lift. Greg was binnen, en groef in zijn vuile kastje.

'Wat is er?' Greg keek even een beetje geschrokken, maar glimlachte toen breed, terwijl hij zijn hoornen bril hoger op zijn lange, dunne neus schoof. Hij gooide het braakselgroene deurtje dicht. 'Wat is er aan de hand? Ik wilde net afnokken voor vandaag.'

'Je zult nooit geloven wat ik gevonden heb.' Dan zwaaide met een beduimeld, chocoladebruin, gebonden boekje. 'Zodra ik het zag, heb ik het van de plank gegrepen en ben naar beneden gerend, hierheen.' Volgens de voorschriften van de Strand mochten werknemers hun werkplek niet verlaten als ze dienst hadden – er was niet eens een 'alleen-in-noodgevallen'-clausule in opgenomen – maar Dan had altijd geleefd volgens de regel dat voorschriften gemaakt waren om je er *niet* aan te houden.

'Wat is dat?' vroeg Greg opgewonden, terwijl hij over de lage houten bank stapte die aan de vloer vastgeschroefd zat.

'Ta-dááá!' Dan zwaaide het boekje boven zijn hoofd. 'Eerst raden, alsjeblieft! Wat denk je dat dit is?'

'Ik kan niet raden!' Lachend greep Greg naar het boekje.

'Niet doen!' Dan hield het op zijn rug.

Greg deed opnieuw een poging om het boek te pakken te krijgen. 'Laat me het eindelijk zien, kom op.'

Dan hield nu het boek vóór zich. Het lag met het omslag naar boven in zijn handpalmen. 'Ik heb hier een meesterwerk dat niet meer herdrukt wordt. Het is geschreven door een van de belangrijkste Amerikaanse romanschrijvers uit het midden van de vorige eeuw. Het is uitgegeven door een uitgeverij, oorspronkelijk uit San Francisco... in 1952...'

'Hou even...' Greg ging op de bank zitten, alsof hij anders flauw zou vallen, '... je kop.'

'Ik meen het,' zei Dan. '*The Poet's Wake!* Door Sherman Anderson Hartmen, *godverdegodver.'*

'Dat is zoiets als de Heilige Graal of zo,' mompelde Greg verrukt. 'Mag ik het zien?' vroeg hij met trillende stem.

'Ja, maar voorzichtig. Een paar bladzijden zijn behoorlijk

aangevreten door de mot, wat echt tragisch is, maar we mogen niet klagen, ik bedoel, als je bedenkt hoe moeilijk het is een exemplaar van dit boekje te vinden. Ik heb verhalen gehoord van mensen die het aantroffen in een oude tweedehands boekhandel in een universiteitsstad in het Midwesten, maar hier in New York City?'

Greg legde zijn handen over die van Dan. Zijn vingers sloten zich om die van Dan en om het boek.

Hé, niet zo inhalig.

'Ik heb eigenlijk een beter idee, Dan,' fluisterde Greg ernstig, terwijl hij zijn dunne blonde wenkbrauwen fronste. 'Waarom lees je me niet een stuk voor?'

Dan haalde zijn schouders op. Hij had *inderdaad* een redelijk goede voorleesstem. Hij keek op zijn horloge. Hij moest boven zijn, boeken inruimen, maar niemand kwam ooit in de kleine koffiekamer. Een paar minuten konden er nog wel af. Bovendien waren sommige dingen gewoon belangrijker dan werken.

Dan schraapte zijn keel, bladerde door het boek naar een willekeurig punt en begon te lezen:

> *'Emily kwam iets over middernacht aan. Ze had de trein genomen. Ze zag eruit, zoals hij zich haar altijd had voorgesteld in zijn koortsdromen 's nachts, als hij zijn pen had neergegooid en zijn blocnote opzij had geschoven, niet in staat te schrijven, niet in staat zich te concentreren, niet in staat aan iets anders te denken dan aan haar sierlijke hals, de rondingen van haar heupen. Ze zag eruit als het begrip vrouw zelf, en was dat niet beter, vroeg hij zich af, dan de werkelijkheid van de situatie? Waren begrippen – alles welbeschouwd – zo superieur aan de werkelijkheid?'*

Dan bleef stil, koesterde het beduimelde boekje eerbiedig. En Greg zat daar maar en staarde op naar Dan zoals je naar een ingewikkeld gebrandschilderd raam kijkt of naar iemand die zich voor een hoog raam in een appartementengebouw staat uit te kleden.

'Het is een misdaad,' mompelde Dan somber. 'Hoe kan het dat dit boek niet meer herdrukt wordt?'

'Het is een misdaad,' stemde Greg in. Hij was gaan staan en legde zijn handen op het boek. Dan keek naar Gregs grote, stralende, groene ogen achter de glazen van zijn grote bril. 'Gelukkig dat er nog mensen zijn zoals wij, om dit soort dingen in ere te houden.'

'Je hebt gelijk.' Dan knikte plechtig.

'Dan,' fluisterde Greg schor. 'Ik ben echt blij dat we elkaar ontmoet hebben.'

'Ik ook,' antwoordde Dan. Hij keek weer op zijn horloge. Hij moest naar boven, maar voor hij zelfs naar de cijfers op de wijzerplaat van zijn Casio horloge-met-ingebouwde-rekenmachine kon kijken, voelde hij Gregs lange armen om zich heen.

'Dit is zo'n goed voorteken voor onze eerste bijeenkomst morgen.' Gregs warme adem kribbelde in Dans hals toen hij Dan knuffelde. 'We hebben zoveel om over te praten.'

'J-jj-ja-,' stotterde Dan. Wauw, Greg was een rare jongen, maar hij wist heel goed hoe cool zijn vondst was. 'Hier, waarom bewaar jij het niet voor me?' bood hij aan, terwijl hij Greg het boek voorhield.

Greg knuffelde hem opnieuw, nog enthousiaster deze keer. 'Wauw,' zuchtte hij. 'Ik héb het niet meer.'

Dan grijnsde tegen hem en liep naar de trap. Waarom had hij altijd een aantrekkingskracht voor rare jongens?

Eh... misschien omdat hij zelf een rare jongen was?

▷ **gossipgirl.nl**

topics | ◂ vorige | ▸ volgende | stel een vraag | reageer

Disclaimer: alle namen van plaatsen, mensen en gelegenheden zijn veranderd of afgekort om de onschuldigen te beschermen. Mij, vooral.

ha mensen!

Net als je denkt dat het niet warmer meer kan worden, gaat de thermometer nog weer een paar graden omhoog. Of misschien ligt het aan mijn computer – hij raakt bijna oververhit van jullie hitsige e-mails! Het schijnt dat mensen op de temperatuur reageren door hun kleren uit te trekken, nat te worden... en een voorstelling te geven voor de hele buurt.

Waar ik het verdomme over heb? Nou, we weten allemaal dat je in de Hamptons geen steentje kunt gooien zonder iemand die je kent te raken. Is het in Manhattan dan anders?! Maar hier hebben we *tuinen* die met *hagen, hekken* of *schuttingen* zijn omheind. Raar eigenlijk, hè. Rijen en rijen hagen, hekken of schuttingen om fantastische en mooie mensen te scheiden van andere fantastische en mooie mensen. Ze zeggen dat een goede omheining zorgt voor goede buren, dus behoren we allemaal op ons eigen landgoed te blijven, veronderstel ik. Maar wat als je buur hitsig is en van tijd tot tijd naakt? Dit is allemaal hypothetisch, natuurlijk. Ik ken eigenlijk niemand die naakt een duik neemt in zijn eigen zwembad en dan de buren op de borrel vraagt. Maar ik heb geruchten gehoord dat ***B*** en ***S*** dat zouden doen, en je weet dat die meisjes trendsetters zijn. Je hebt het hier voor het eerst gehoord: haal die hagen, hekken en schuttingen maar weg, mensen. Hoogste tijd. Een goede buur is beter dan een verre vriend.

Dus: hoi, buurjongens, kom me maar zoeken. Ik lig aan mijn zwembad en geniet van mijn eigen airconditioning: alcohol/college jongens. Gaap. Weer een gewone werkdag.

Jullie e-mail

Beste GG,
Ik weet dat ik op het strand hoor te zijn bij de rest van de beschaving maar ik zit jammer genoeg vast in de New York City vanwege een zomercursus. Wie wist dat ze echt heel serieus zijn over het feit of je al dan niet aanwezig bent? Maar goed, ik drijf weg hier, zo warm is het. Help!
– Stikkend in de City

SidC,
Wat zielig. Klinkt alsof je je eigen *doppelgänger* nu zou kunnen gebruiken. Maar als dat geen optie is, volgen hier een paar aanwijzingen om koel te blijven in de stad:

Zoek het dichtstbijzijnde zwembad-op-het-dak. Als je geen vriendin hebt met een eigen zwembad (of als ze de stad uit is), probeer Soho House of Hotel Gansevoort. Als je echt wanhopig bent, koop dan een kinderbadje voor jezelf, breng het naar je dak en vergeet de honderd flessen Evian niet. Dat is wat ik een privéfeestje noem.
De airconditioning bij Barneys is supergaaf. Ik neem aan dat het er niet heel erg zonnig is, maar als je een bikini past is het *bijna* alsof je op het strand bent.
Drie woorden: Tasti D-Lite (of zijn het er maar twee?). Oké, Tasti D-Lite is een gezond, ijsachtig toetje, populair in de Hamptons. Als je deze zomer niet naar het strand kunt, doe me dan een lol, vergeet de calorieën en slurp een paar lekkere hazelnootijsjes van Cones. Smullen!

Je zei toch dat je op een zomercursus zat, hè? Eh... hallo, is daar gaan airconditioning? Als je het antwoord niet weet, zou ik eerst even in het reglement kijken wat de consequenties zijn van spijbelen.
– GG

BADLAKENS, BINGOREGELS EN ANDERE BEPALINGEN

De bofkonten die koel blijven op het strand hoeven zich geen zorgen te maken. Ik denk ook aan jullie. Het belangrijkste wat je van deze zomer moet onthouden – en dit is voor je eigen bestwil, als ook voor die van iedereen – is dat als New Yorkers hun sociale leven van de chique Manhattan bars verplaatsen naar de zandstranden van de Hamptons, de sociale regels mee verhuizen. Ten slotte hoort er *iets* van orde te zijn. Dus voor degenen die het niet weten, zijn hier de onuitgesproken regels van de strandetiquette die je absoluut moet volgen:

Draag een grote zonnebril als je graag rondkijkt. En je weet dat je dat zult gaan doen.
Laat zeker een flinke meter tussen jouw badlaken en dat van je buurman (dit is het absolute minimum en alleen acceptabel in de moeilijkste situaties). Als je het verschrikkelijk vindt om als sardientjes opgepakt te zitten in een warme metrotrein, stel je dan voor hoe het voelt om vier uur lang zo dicht op elkaar op het strand te moeten liggen met een minimum aan kleren aan. Niemand hoeft zo dicht bij je te zijn en zo intiem.
Het kan me niet schelen of je de zanger Ricky Martin bent – geen Speedos, alsjeblieft. *Vooral* niet als je inderdaad Ricky Martin bent. Gadver.
Hetzelfde geldt voor angstaanjagende hoeveelheden haar op borst of rug. Onthaar het met was, bedek het of blijf thuis! Zo simpel is het, gorillamannen.
Als je een vriend of een ander belangrijk mens insmeert met sun-

block, word dan niet te wild. We hebben het meisjes bij elkaar zien doen in bars om aandacht te trekken en we hebben koppels zien vrijen in donkere hoeken, en beide dingen zijn nog smakelozer bij helder daglicht. Vertrouw me, er zijn andere manieren om ervoor te zorgen dat je gezien wordt. En ik kan het weten.

EEN PAAR BRANDENDE VRAGEN

De roddelmolen hou je niet draaiende door naar feestjes te gaan en piña colada's te drinken. Het is dag en nacht werken. Oké, natuurlijk zijn er veel feestjes en piña colada's. Misschien red ik geen levens op de afdeling Eerste Hulp, maar ik red wel jullie sociale leven, mensen, en dat is in elk opzicht net zo belangrijk. Voor degenen die dat niet geloven zal ik een paar vragen met jullie delen.

Vragen die me 's avonds laat wakker houden (althans als ik geen feestje heb):

Kan het waar zijn dat ***N*** gevallen is voor een oudere vrouw? De laatste keer dat hij gezien werd, zwaaide hij ten afscheid naar een bijna-naakte, oudere vrouw in Hampton Bays. *Intéressant.* Van wat ik hoor zou het niet de eerste keer zijn... Is het ook mogelijk dat ***B*** en ***S*** hun lesbische kant verkennen – opnieuw? Blijkbaar zwemmen ze naakt en delen ze een bed. Misschien zijn ze eindelijk uit de kast gekomen. Zal ***V*** jaloers zijn? Ik heb me altijd afgevraagd wat er tussen haar en die gesoigneerde – nu gaat er een zoemer – aan de hand is. Nog een roddel: kleine ***V*** is gezien, terwijl ze gisteravond laat nog in het zwembad dook in een kinderbadpakje dat haar bepaald niet flatteerde. Let goed op. Haar badpakje doet denken aan een bij-op-vakantie. Ze komt vast wel een keer bij je in de buurt. En dan is er ***D***....

Ik kan je niet vertellen hoeveel mensen me mails hebben gestuurd over de literaire salon morgenavond. Mis ik iets? Ik dacht dat

Proust in het donker lezen iets was voor magere, bleke jongens met jampotglazen in hun bril, maar volgens jullie mails zijn er een paar hitsige boekenwurmen tevoorschijn gekomen, die op zoek zijn naar liefde... Zou dit een Groot Treffen worden van een heleboel Rare Jongens? Nou, al ben ik er niet, dat wil nog niet zeggen dat ik jullie niet kan helpen. Zo aardig ben ik gewoon. Dus alsjeblieft, op algemeen verzoek...

JUISTE ETIQUETTE VOOR EEN LITERAIRE SALON: WAT DOE JE WEL EN WAT NIET?

WEL... Spreek het woord goed uit: het is sááálon, niet de zaak op de hoek waar alle vrouwen lange, rode nagels hebben en je je haar laat knippen.

WEL... Breng iets stevigs en interessants mee om te drinken. Ik bedoel Pernod, Chartreuse of Ouzo. Laat bier maar thuis, dank je.

WEL... Knik mee als mensen iets zeggen, zelfs al ben je te druk bezig met de hitsige dichter-nerd aan de andere kant van de kamer om goed te luisteren.

NIET... Doodstil zijn. Je zit niet op school – er zijn geen verkeerde antwoorden – dus verzin wat om indruk op mensen te maken. Of zeg iets in een andere taal. Dat werkt altijd.

NIET... Onverzettelijk zijn. Als andere leden je vragen iets nieuws te proberen, herinner je dan dat werkelijk kunstzinnige types altijd bereid zijn tot experimenteren.

NIET... Verbaasd zijn als de gemoederen verhit raken. Emoties kunnen hoog oplopen tussen de coupletten.

Oké, mensen, veel plezier met jullie boeken – en laat me horen hoe het afloopt. Jullie weten dat ik nieuwsgierig ben en jullie weten ook wat ze zeggen over rare jongens. Het zijn *freaks* – in bed. Toedeloe!

Je weet dat je van me houdt,

gossip girl

v is waarschijnlijk niet meer in kansas

'Opschieten, Vanessa, opschieten!'

De onbesuisde vierjarige tweeling sprong voor haar uit in een waas van ellebogen, blote beentjes, krullend haar en zwembroekjes van Brooks Brothers die met kleine zeilbootjes waren bedrukt – Nils had een rood en Edgar een blauw zwembroekje. Ze stoven over het zandpad door het bos naar het strand en lieten een stofwolk achter zich.

'Rustig!' Vanessa ordende zo goed mogelijk de grote roze strandtas met Allisons monogram in groen erop geborduurd. De tas was gevuld met zwemvliezen en zwembrillen, opgerolde badlakens van Pratesi, vijf soorten sunblock, boeken van Bob de Bouwer, pakken sap, snacks, plastic emmertjes en schopjes, een frisbee, een voetbal en twee video iPods met het Amerikaanse programma *Little Einsteins*. Ze pakte de tas op. In haar andere hand droeg ze een grote donkerblauw-met-beige gestreepte parasol die ze op aandringen van Miss Morgan had moeten meenemen.

'*Rustig,* zei ik!' riep Vanessa opnieuw, terwijl de springende jongetjes achter het duin vóór hen verdwenen. Ze wilde het op een schreeuwen zetten, maar besloot dat het haar eigenlijk niets kon schelen. *Doe wat je wilt. Ga door. Verdrink. Word gekidnapt. Het kan me niets schelen. Het zou een zegen zijn.* De waarheid was dat de tweelingen waarschijnlijk het strand even goed kenden als hun speelplek in Central Park. Vanessa liep er zelf wat verloren bij.

Ze kwam op de top van het duin en overzag het toneeltje: Nils en Edgar waren verdwenen in de drukte van zonnebadende mensen die op het strand waren samengedromd, waardoor het leek of er geen handvol zand meer over was. Ze liep in haar zwarte All Stars – ze had de veters eruit getrokken en was er zonder meer van uitgegaan dat ze even gemakkelijk zouden zitten als teenslippers. Niet dus. Vanessa zocht een weg tussen de badlakens, ligstoelen en blonde, gebruinde twintigers met de bleke kinderen waarop ze blijkbaar moesten passen. Ze had haar laatste portie spierkracht verbruikt, toen ze opeens een vierkant stukje strand voor zich zag, waarop niemand te zien was. *Godzijdank.* Ze zette de propvolle tas in het gloeiend hete zand en legde de gestreepte parasol ernaast. Toen plofte ze neer.

'Gewoon een heerlijke dag aan het strand,' mompelde ze, waarbij ze het zachte accent van Miss Morgan perfect nabootste. Intussen zocht ze in de tas naar een plaid die ze aarzelend voor zich uitspreidde in het zand zonder zelfs maar op te staan. De strandtas was omgevallen, maar Vanessa deed geen poging de inhoud erin terug te stoppen. *Stom, stom, stom,* schold ze op zichzelf toen ze besefte dat ze vergeten was iets voor zichzelf mee te nemen om te doen. Ze had er alles voor overgehad als ze nu terug was in Manhattan en in de koele duisternis van het Film Forum zat te kijken naar de nieuwste film van Todd Solondz. In plaats daarvan zat ze in het zand, terwijl de hete zon haar geselde. Ze had niets anders te doen dan de snotneuzen van de tweelingen schoon te houden of het laatste nummer van *Highlights* te lezen.

Het lezen van de bijsluiter bij de verschillende soorten sunblock zou nog leuker zijn.

Vanessa keek om zich heen, op zoek naar een flits van de blauwe of rode zwembroekjes van de tweeling. Een paar dappere kindermeisjes waagden zich in de ijskoude Atlantische branding met de kinderen op wie ze moesten passen, weliswaar tandenklapperend van de kou maar lachend. Ze zag twee jongetjes in dezelfde zwembroekjes als die van Nils en Edgar en vroeg zich even af of iemand van de familie het zelfs maar zou merken als ze deze jongetjes zou meenemen naar huis.

Ze was nog niet eens een hele dag in de Hamptons, maar het was lang genoeg om te merken dat Allison Morgan zelfs minder belangstelling voor de jongens had dan anders en dat meneer James Grossmans' enige telefoontje – ter controle – zo ongeveer de dagelijkse regel was. Het leek of ze een groep opwindbare robots waren die zo geprogrammeerd waren dat ze hun eigen taken uitvoerden, zonder enige echte wisselwerking met, of gevoelens over iemand anders. Niet dat Vanessa graag dikke maatjes met hen werd, maar kom op!

Het was over elven 's ochtends en het strand was voor de kinderen en hun verzorgers. Vanessa keek naar haar collega's, het leger au pairs, en vroeg zich af of ze misschien met iemand bevriend zou raken. Hadden andere babysitters ook bazinnen die zich voor hen uitkleedden? Ze nam aan dat het in de Hamptons wemelde van mensen als Miss Morgan en ze zou het niet erg vinden als ze iemand had met wie ze bizarre verhalen over bazen of bazinnen kon uitwisselen. Maar om zich heen kijkend leek het niet zo aannemelijk dat een of meer van deze lenige schepsels met hun perfecte bruine kleur, grote zonnebril en gemanicuurde nagels iets met haar te maken zou willen hebben. Of vice versa. In feite was het of ze terug was op Constance Billard, de school die haar de afgelopen drie jaar gemarteld had.

Vanessa staarde uit over de eindeloze oceaan en moest opeens echt haar best doen niet in tranen uit te barsten. Ze schopte haar All Stars uit en sloeg haar benen over elkaar. Ze zocht in de rommel om haar heen naar iets te drinken. Ze vond een pakje appelsap, haalde het cellofaan van het rietje en stak het met een boos gebaar in het gaatje.

'O, ben je hier?!' Nils kwam aangesprongen over het zand

en nam een kortere weg via de plaids en badlakens van hun buren. 'Niet doen!' riep ze. 'Of doe het wel, dan wordt er tegen je geschreeuwd. Wat je wilt. Waar is je broertje?'

'Weet ik niet.' Het jongetje plofte op de grond en rommelde door de spullen die over de plaid verspreid lagen. 'Vanessa, je hebt zand op mijn kaascracker gedaan.'

'Tja, het leven kan hard zijn.' Vanessa keek naar haar melkwitte enkels en nog wittere voeten. Ze wilde bijna dat ze naar de pedicure was gegaan. Ze draaide zich om en begroef ze in het zand. 'Toe Nils, vertel me alsjeblieft dat je je broertje niet hebt doodgemaakt.'

Nils grijnsde tegen haar, leunde iets naar voren, legde zijn plakkerige, met zand bedekte handjes op haar schouders en liet een boer in haar gezicht.

Een veel te bevoorrechte psychopaat in wording.

'De jongen op wie jij *zou moeten* passen is *daarginds*,' zei een bekende zeurderige stem.

Vanessa draaide zich om en keek in de koele ogen van haar vroegere klasgenote, Kati Farkas. Kati pronkte met een professioneel opgespoten bruine kleur en een te kleine zwarte bikini van Gucci. Naast haar lag haar beste vriendin: Isabel Coates. Isabel lag op haar buik en had het bovenstuk van haar grasgroene stringbikini uitgedaan. Een klein meisje met rood haar wreef haar rug in met zonnebrandcrème.

'O, hoi,' zei Vanessa koel. Twee andere mannequintypes met lange benen lagen naast Isabel onder een roze-met-wit gestreepte parasol. 'Werk je ook als nanny in de zomer?' vroeg ze aan Kati, hoewel ze wist dat het onmogelijk waar kon zijn. Kati en Isabel *werken?* Nooit.

Kati rolde met haar ogen. 'Ze is mijn nichtje. Ik vind het leuk om naar haar te kijken. Ze haalt dingen voor ons en wrijft ons in met zonnemelk en de jongens vinden haar heel leuk.'

Vanessa knikte. Ze wist niets te antwoorden. Toen zag ze

in de verte Edgar. Hij liep naar de rand van het water en schreeuwde opgewonden, elke keer als een schuimende golf op zijn voetjes stuksloeg. Ze wilde opspringen en hem gaan halen, maar hij zag haar en begon in haar richting te rennen. Ze draaide zich om naar Kati. 'Bedankt voor de tip,' zei ze sarcastisch. Als ze de tweelingen vroeg haar in te smeren zouden de hitsige windsurfers in de Hamptons zich vast om haar verdringen – helemaal haar type jongens. Goed.

'Leuk badpak!' riep Isabel met een vals lachje.

Vanessa wist dat ze er belachelijk uitzag in Jenny's kleine bijenbadpak van Hanna Andersson, maar ze kon nauwelijks de aandrang bedwingen zand in Isabels ogen te schoppen. In plaats daarvan slurpte ze haar pakje sap luidruchtig in één teug leeg.

Ze hoorde de magere meiden naast Isabel giechelen. Krengen. Ze stond op het punt hun een ijskoude, woedende blik toe te werpen, toen ze plotseling besefte dat ze hen kende! Maar... *nee, toch niet.* Op het eerste gezicht leken de meisjes precies op Blair en Serena, maar hoe langer ze keek, hoe anders ze werden. De brunette droeg haar haar in een woest kapsel dat haar gezicht omlijstte. Ze had stralend blauwe ogen en twee enorme voortanden die tussen haar lippen uitstaken. De blondine die angstaanjagend mager was, leek bijna mooi, op het zichtbare kloppen van de paarsblauwe ader in haar voorhoofd en haar enigszins scheefstaande linkeroog na. En een werkelijk mooi meisje als Serena zou nog niet dood gevonden willen worden in een paars, diep uitgesneden badpak zoals dit meisje aan had. Er was zelfs een belachelijk cirkeltje uitgesneden rond haar navel.

Toch had ze even een gevoel van opluchting gehad. Vriendinnen! Ze zou hier echte, menselijke vriendinnen hebben! En het deed haar beseffen: al waren deze goedkope versies niet echt, *zeker* was dat Blair en Serena hier ergens moesten zijn.

Waar zouden die twee anders heen gaan in de zomer?

'Hep je problem?' De rare nep-Blair keek Vanessa boos aan. 'Misschien ies get iets waarmee ik kan helpen?'

'S-s-orry,' stotterde Vanessa. Ze voelde zich opgelaten dat het meisje haar zo naar haar had zien staren. 'Het komt omdat...'

'Ja?' vroeg het meisje snibbig.

'Je deed me denken aan iemand die ik ken.' Was dit meisje Russisch of alleen maar een beetje achtergebleven?

'Mmmmm.' De Bizarre Blair bekeek Vanessa nauwkeurig. Toen boog de broodmagere, blonde versie van Serena zich naar voren en fluisterde iets in het oor van Bizarre Blair.

Wat vriendelijk.

'Veet je vat?' Bizarre Blair glimlachte tegen Vanessa en haalde haar hand door haar dikke kastanjebruine haar dat tot op haar schouders hing. 'Jai geef goete idees.'

'Vat dan ook.' Vanessa draaide de plaid vol bitches haar rug toe en vestigde haar aandacht op de tweeling die nu elkaar bespuwden met fijngekauwde crackers-met-sinaasappelsmaak.

'Eel goete idees,' herhaalde Bizarre Blair achter haar.

O? En wat mochten die 'goete idees' wel zijn?

d's grote experiment verknald

'Je bent er!'

Dan gluurde zenuwachtig naar binnen in het halletje van het rommelige appartement in Harlem van Gregs ouders, de locatie voor hun allereerste bijeenkomst van de literaire salon 'Gedicht van Mij'.

'Ik ben er.' Dan stapte aarzelend de donkere hal binnen, keek door de openstaande deur de kamer in en veinsde belangstelling voor het grote olieverfschilderij dat in de kamer hing. Intussen repeteerde hij in zijn hoofd zijn openingswoord. *Welkom allemaal op onze eerste bijeenkomst. Ik zou graag beginnen met de woorden van de dichter Wallace Stevens, die natuurlijk veel te zeggen had over de centrale plaats die de literatuur inneemt in het menselijke welzijn... Let be be finale of seem. The only emperor is the emperor of ice-cream.*

'Alles goed?'

Dan schrok van het gewicht van Gregs hand op zijn schouder. 'Hoi, sorry.'

Greg lachte. 'Nerveus?'

'Nee, nee,' loog Dan. 'Ik stond even naar dat schilderij te kijken.' Hij gebaarde naar het reusachtige doek dat boven de schoorsteenmantel hing in de kamer van Gregs ouders. Ze waren ouder dan Rufus en woonden het grootste deel van de tijd in Phoenix. Een werveling van tinten grijs en donkerrood glinsterden in de middagzon die door de stoffige ramen van de kamer binnenviel.

'Vind je het mooi?' vroeg Greg. 'Ik heb het gemaakt.'

'Meen je dat?' Dan draaide zich om en bekeek deze keer het

schilderij echt. Hij deed een stap naar achteren en toen nog een. Hij stond weer in het halletje en besefte nu pas dat hij had staan kijken naar een levensgroot zelfportret van Greg die spiernaakt op een kleine trapladder zat. 'Hé, ja.' Hij grinnikte nerveus. 'Dat ben jij natuurlijk.'

'In volle glorie.' Greg zag de rechthoekige fles die Dan in zijn hand geklemd hield alsof zijn leven ervan afhing. 'Je hebt iets meegebracht!'

'Ja, absint.' Het was het meest 'literaire' dat hij had kunnen vinden. Het was de drank die Rimbaud of Shelley wellicht hadden gedronken. En het was de enige nog dichte fles in de muffe tandartsenkast met de matglazen ruitjes, waarin zijn vader zijn sterkedrank bewaarde.

'Geweldig!' Greg pakte de fles. 'Zal ik er eentje voor ons inschenken, voordat iedereen komt?'

'Graag.' Dan liep achter zijn gastheer aan terug, de kamer in. De muren van de gang hingen van plint tot plafond vol goedgevulde boekenplanken. 'Ik zou wel een kleintje lusten om me een beetje te ontspannen.'

Een *kleintje*, dus? Dat spul is zo sterk dat het bijna... illegaal is.

'Daar isj iemandj, ik bedoel, daar is iemand, eh...' zei Dan. Hij had het gevoel dat zijn tong ongeveer het formaat van een aubergine had gekregen. 'De bel, man. Ze zijn er. Het begint!' voegde hij eraan toe, terwijl hij een poging deed rechtop te gaan zitten.

'Het begint!' Greg sprong op van de lage, bruine, leren bank waarin Dan en hij steeds dieper waren weggezakt naarmate ze meer glazen absint hadden gedronken. Ze hadden een uur gereserveerd om hun openingswoord te plannen, maar het grootste deel van de tijd ging op aan absint over klontjes suiker gieten en het plakkerige, zoete mengsel in één teug opdrinken. Dan pakte de originele absintlepel die ze om beurten gebruikt hadden en stak hem in zijn mond.

Taste of metal on my tongue. Poison the color of envy –

I'm delirious, you're delicious, I'm deluded and delusional.

I'm lost without you. I need you.

Dan grijnsde. Het was waar – absint inspireerde *inderdaad*. Hij liep wat wankelend over de glanzende, houten vloer in de kamer om zijn rugzak te halen, waarin zijn aantekenboekje op hem wachtte. Hij moest dat fragment op papier hebben, voor hij het vergat.

'Kijk eens wie er zijn!' riep Greg. Dan liet de rugzak weer vallen – dichterlijk fragment al vergeten – en probeerde zich te concentreren op de gezichten van de mensen die de kamer binnenstroomden. Gek dat de kamer opeens leek te draaien. Omdat de gasten hun foto's hadden opgestuurd had hij het gevoel dat hij hen al eerder had ontmoet. Daar was het leuke Charlotte Brontëmeisje. En de jongen die dol was op vampiers.

'Neem een drankje!' Greg wees: 'De bar is daar en er is nog veel meer ijs in de ijskast. Dan gaan we in een kring zitten, neem ik aan, en stellen we onszelf voor. Klinkt dat goed, Dan?'

Dan knikte, opeens niet meer in staat nog één enkel woord te vormen. *Zitten*. Ja dat klonk als een goed idee. Hij strompelde door de verbazend grote menigte – hoeveel mensen hadden er voor de deur gestaan? Of had de bel vaker gerinkeld dan één keer? Hoe lang had hij in zijn rugzak zitten graven naar zijn aantekenboekje? Hij plofte neer op de leren bank.

'Nog eentje?' Greg wees naar het zilveren blad met daarop een rechthoekige fles vaalgroene vloeistof en een pot vol suikerklontjes. Toen deed hij zijn bril af en Dan zag voor het eerst dat Greg miljoenen sproetjes over zijn hele gezicht had.

'Maar... mijn sjpeechj,' mompelde Dan. 'Ik moet eh...'

'Je moet een beetje rustiger worden.' Greg trok zachtjes de lepel uit Dans hand en liet hem op de rand van het glas balanceren. Hij legde een klontje suiker op de lepel en goot er een straaltje van de sterke groene drank overheen.

'Die heb ik in mijn mond gehad,' protesteerde Dan.

'Dat maakt mij niets uit.' Greg grijnsde en roerde het drankje om, voor hij er een lepel van nam en de vloeistof tussen zijn lippen goot. Hij trok de lepel uit zijn mond en stopte hem terug in Dans mond.

Brrr, bedankt voor de ziektekiemen!

Greg deed zijn versleten zwartleren Doc Martens uit, en stapte op de bank. Terwijl hij dat deed trapte hij bijna op Dans bovenbeen. Hij schudde met zijn glas. Het ijs klingelde. Hij deed het, omdat hij de aandacht van het gezelschap wilde trekken. 'Goed, mensen, haal een drankje en ga zitten. We hebben vanavond veel te behandelen.'

De kamer was gevuld met stemmen, maar Dan had problemen met zijn oren. Hij hoorde niet goed. Hij was dankbaar dat Greg alles onder controle scheen te hebben.

'Ik zal de teugels nu aan onze andere onverschrokken leider geven.' Greg legde een hand op Dans schouder voor een beetje houvast, sprong van de bank en ging op de houten vloer aan Dans voeten zitten.

'Bedankt, Greg.' Dan wankelde een beetje terwijl hij de groep bekeek. *Dit is het. Dit is onze salon. En jij bent hun Gertrude Stein.* 'Hames en Deren, welkom op deze eerste bijeenkomst van onze eerste salon van de openingsbijeenkomst van onze groep.' Hij liet zachtjes een boer. 'Ik vind het een genoegen jullie te prikkelen en jullie te vertellen over opwinding en boeken. Daar geloof ik in en jullie geloven dat en wij allemaal geloven dat samen en boeken zijn goed en veranderen ons leven en maken ons gelukkiger. En we vinden dat belangrijk, of niet? Ja toch?'

Dan zweeg. De enige geluiden behalve het tinkelen van ijsblokjes was wat onderdrukt gegiechel aan de overkant van de kamer. Zijn tong was dik en droog en hij wist dat hij moeite had met duidelijk praten, maar hij was vastbesloten zijn openingswoord te doen. Hij had zo lang gedaan over het opstellen van hun doelstellingen en de e-mails beantwoorden en hij had zijn toespraak keer op keer gecontroleerd en gecorrigeerd en was niet van plan dit allemaal te verpesten alleen maar doordat hij een glas te veel gedronken had.

Eén?

'We zouden vandaag beginnen met het lezen van het boek dat ik zo goed vond en dat ik een tijdje geleden teruggevonden heb bij de Strand. Daar werk ik. Waar is dat boek? Greg, weet jij waar ik dat boek heb gelaten?'

'Hé, hé!' Greg lachte. 'Waarom stellen we dat lezen niet even uit en gaan we de kring rond of zo? Dan kunnen we ons allemaal even voorstellen. Dan en ik hebben jullie mails gelezen, maar we zien uit naar een kans om jullie echt te leren kennen.' Greg hielp Dan terug op de bank. 'Zou jij willen beginnen?' Hij knikte naar een meisje dat in kleermakerszit op de grond zat naast de lage tafel. Haar haar was aan één kant van haar hoofd zo kort dat dat deel bijna geschoren leek. Ze trok de aandacht met een tattoo van een kakkerlak op haar halve kaalgeschoren schedel. Ze leek een heel harmonieus lijf te hebben, maar haar gezicht zag er vreemd misvormd uit. Het meisje knikte naar Greg. 'Yo, wat is er aan de hand. Ik heet Penny,' zei ze met luide stem. 'Lievelingsboek is absoluut *Sexing the Cherry* van Jeanette Winterson, jullie weten hoe het gaat. Ik heb net eindexamen van de middelbare school gedaan en wil in de herfst naar Smith University, maar ik vind het zo spannend dat ik nu hier ben en een paar coole boekenliefhebbers tref, weet je?' Ze keek opzij naar het meisje met het rode haar dat haar benen had opgetrokken en haar handen eromheen had geslagen. Ze nam kleine slokjes uit een bekertje goedkope witte wijn.

'H-h-oi,' fluisterde het meisje met het rode haar. 'Ik ben Susanna. Mijn favoriete boek is *The Awakening* van Kate Chopin. Ik kom uit het oostelijk deel van Greenwich Village. Ik denk erover om naar Bennington University te gaan, na mijn eindexamen volgend jaar, en ik ben dol op Tori Amos.'

'Je lijkt er ook sprekend op,' merkte Penny op.

Susanna kreeg een kleur en keek naar de grond.

'Ik denk dat ik nu wil,' zei een broodmagere jongen opeens. Hij zag eruit als veertien, was gekleed in een grijs pak, compleet met een glanzend, kastanjebruin strikje. Hij zat in een schommelstoel tegenover Dan.

'Ga je gang,' zei Greg, terwijl hij Dan een fles water toeschoof.

Meneer Voorzichtig!

Ik heet Peter en ben tweedejaars op New York University. Mijn favoriete schrijver is J.D. Salinger. Ik denk erover om, als een eerbewijs aan hem, het boek *Heft hoog de Nokbalk, timmerlieden* in zijn geheel van buiten te leren.'

Dan nam een slok lauw water. Dat klonk vaag bekend – hij herinnerde zich een mailtje te hebben gelezen van een toegewijde fan van Salinger, maar om de een of andere reden had hij problemen met het onthouden van dingen.

Zoals zijn eigen naam?

'Hoe dan ook,' ging Peter verder, 'ik ben blij dat ik de selectie gehaald heb. In de blogs wordt gezegd dat deze groep nogal exclusief is.'

'Dat heb ik ook gehoord!' riep het meisje dat naast hem zat, een keurige brunette. Haar melkwitte gezicht werd omlijst door perfecte, lange krullen. 'En ik ben zo'n bofkont dat jullie bereid waren twee Salinger-enthousiastelingen te laten komen. Mijn naam is Franny, en ja, ik ben genoemd naar het boek van

Salinger en ja, het is duidelijk dat ik dat het mooiste boek van de wereld vind. Volgend jaar ga ik naar Vassar Universiteit en eh... ja, ik hoop, geloof ik, dat ik vandaag een paar nieuwe vrienden zal maken.'

Misschien ontmoet ze haar Zooey wel.

'Vanessa,' mompelde Dan terwijl hij met zijn handen over de zacht prikkende stoppels streelde aan de achterkant van haar hoofd, en zij hem heel teder zoende. 'Je bent teruggekomen.'

'Eh, Dan? Ik ben het. Greg. Alles goed?'

Gregs stem rukte Dan terug in de werkelijkheid. Hij ging rechtop zitten en wreef zijn ogen uit. 'Sorry, ik geloof dat ik even indutte.'

'Maakt niets uit. Je hebt een uur geslapen.'

'Echt waar?' Hij stond op en ging vlug weer zitten. Wooh. 'Ik luisterde naar dat meisje dat Salinger zo goed vond en dat is het laatste wat ik me kan herinneren.'

'Dat meisje bedoel je?' vroeg Greg, terwijl hij wees naar de Franny met krullen die uitgestrekt op de grond lag, terwijl Peter, haar mede-Salingerfan, haar hals kriebelde met zijn tong. 'Zij, eh.. heeft contact gezocht met een andere boekengek, zoals je ziet.'

'Wat is er aan de hand?' Dan keek de kamer rond waar het aanzienlijk donkerder was geworden. Alle tweeëntwintig salongasten zaten in paren op de grond gehurkt, of in kleine groepjes. Niemand zei veel. En als er werd gesproken, ging het niet over boeken. Op de andere grote bank in de kamer telde Dan zeven benen en acht armen. De meerdere malen gepiercete oren van het bijna kale punkmeisje, Penny, kregen een liefderijke behandeling van de tong van het roodharige meisje Susanna. En dat gebeurde vlak voor Dans neus. De jongen fronste zijn wenkbrauwen. Zijn elitaire literaire bijeenkomst veranderde in een *orgie*. En hij had kunnen zweren dat iemand hem zoende, even voor hij wakker werd. Maar wie? Er waren geen meisjes die hun hoofd helemáál hadden geschoren.

'Maak je niet druk, Dan,' mompelde Greg, terwijl hij een arm om Dans schouders sloeg. 'We vinden het allemaal heel leuk om elkaar te leren kennen. Het is zoals we het wilden, toch?'

Dan knikte. Maar *was* dat echt zo?

Greg legde zachtjes een hand om Dans kin. 'We zijn allemaal gepassioneerde mensen. We hebben een passie voor boeken, een passie voor het leven.' Greg kneep speels in Dans kin, trok zijn gezicht naar het zijne en kuste hem, zachtjes, op de lippen.

Dan rukte zijn hoofd los. Sorry? *Wat moet dit, verdomme?*

Greg glimlachte en kuste Dan opnieuw, waarbij hij deze keer met zijn warme tong langs Dans lippen gleed. Dan wilde zich weer lostrekken, maar zijn hand ging onwillekeurig langs Gregs nek omhoog en streelde zijn korte prikkende haar. Er zat zoiets bekends en troostends in het zoenen van iemand met kort stekeltjeshaar.

Hallo? Ook als die iemand een kerel is?

Dan voelde zich opeens totaal verward en doodmisselijk. Hij verzamelde genoeg energie om Greg weg te duwen en mompelde dat hij moest overgeven, terwijl hij naar de wc stommelde. Het kwam door de absint, verzekerde hij zichzelf terwijl hij zich voor het toilet op de witbetegelde vloer op zijn knieën liet zakken.

Wat kwam door de absint? Het zoenen van iemand met stekeltjeshaar, of het overgeven?

AIR MAIL – PAR AVION – 11 juli

Hoi Dan!

Waarom heb je mijn kaarten niet beantwoord? Is alles goed met je? Heeft Vanessa mijn kamer al zwart geschilderd? Schrijf me terrrrrúúúg!

Liefs (maar niet lang meer als je me niet gauw schrijft),

Jenny

de zoete wraak van s en b

'Ben je al klaar?' Serena bonsde op de dikke deur van gebleekt hout van de enige badkamer in het gastenhuisje. Ze moest schreeuwen om gehoord te kunnen worden over de voortdurende beat van techno die buiten speelde en over het lawaai van feestgangers die lachend en tegen elkaar schreeuwend op het grote, smaragdgroene gazon stonden of rondliepen.

'Bijna.' Blair was bezig wat van haar favoriete luchtje van dat moment op te doen. Het was een mengeling van verschillende seringenbloesems van Viktor & Rolf. Ze bracht wat op achter haar oorlelletjes, op de binnenkant van haar polsen en, voor het geval dat, op de zachte ruimte tussen haar borsten die net zichtbaar was in haar laag uitgesneden, flinterdunne lichtgele katoenen jurk van Alberta Ferretti. Ze keek naar zichzelf in de spiegel en stelde zich voor hoe ze eruit zou zien als iemand als, zeg maar Nate, toevallig langskwam om naar het feest te gaan. Met haar warrige, door zon en zee gebleekte haar en haar lange, bijna witte jurk zag ze eruit als een bruid die op punt stond te trouwen op een zeilboot. Een zeilboot als de *Charlotte*, de boot die Nate met zijn vader gebouwd had in de allereerste zomer dat ze samen waren, die overigens de enige zeilboot was waarop ze ooit echt had gezeild.

Ze had veel aan Nate moeten denken sinds zij en Serena hem drie dagen geleden waren tegengekomen. Ze hoopte dat hij nog een keer zou komen. Ze had al van een miljoen mensen gehoord dat zijn wilde romance of wat-het-ook-was-verdomme met dat meisje in de stad allang voorbij was en als hij zich een beetje nederig gedroeg, kon ze hem zijn romantisch oponthoud vergeven. Ja, hij was een grote sukkel en ja, hij had haar hart al duizend keer gebroken, maar iets in de manier waarop hij naar haar had gekeken toen ze wegrende, en haar bekende naaktheid in zich opnam, alsof het een schilderij of zoiets was, gaf haar het gevoel dat ze hem steeds maar weer wilde zien.

Blair draaide zich om op de hakken van haar witte krokodillenleren zwaardvechterssandalen van Bailey Winter, schoof de badkamerdeur met een theatraal gebaar open en stapte de kleine hal binnen, waar Serena deed of ze de vierde sigaret rookte die ze had opgestoken sinds Blair in de badkamer was verdwenen.

Verveling kan elk aardig meisje veranderen in een pyromane.

'Leuk.' Serena knikte goedkeurend terwijl ze naar Blairs outfit keek. 'Maar we moeten zo onze grootse entree maken en ik denk er niet aan om dat zonder jou te doen.'

'Zijn je-weet-wel-wie al buiten?' vroeg Blair.

Serena sprong op van de bank, liep naar het raam om te kijken naar de actie bij het zwembad. Blair kwam naast haar staan en keek naar de tientallen silhouetten die afstaken tegen het helderblauwe, verlichte zwembad achter hen. Ze zag Ibiza en Svetlana in de verte. 'Ze staan bij de DJ.' Serena wees. 'Leuke korte broek,' voegde ze eraan toe terwijl ze deed of ze Ibiza's goedkope hotpants bewonderde die een stukje van haar blote billen liet zien.

Blair snoof minachtend en liep terug naar de badkamer om een beetje crème op haar nagelriemen te smeren. Ze leken de laatste tijd een beetje droog.

Kwam zeker van al het werken met haar handen.

'Shit, Blair, kom op. Wat doe je nou weer in de badkamer?'

'Ik kom, ik kom.' Blair haalde de overtollige crème met één snelle veeg van haar nagels. Ze gooide de tissue in het vuilnisbakje en had het gevoel dat ze bevroor. Wat. Was. Dit. Verdomme? Wat lag daar in de vuilnisbak? Ze bukte zich, pakte het hele vuilnisbakje op en zette het op de roze-marmeren ombouw van de wastafel. 'Kom eens!'

'Je ziet er *goed* uit.' Serena pakte Blair bij haar onderarm. 'Laten we gaan. Ik heb zo'n zin in een drankje.'

'Kijk.' Blair schudde boos aan het mandje. 'Vind jij dit niet verdacht?'

Serena keek naar het roze plastic flesje in het vuilnisbakje. 'Ontharingsmiddel.' Ze zweeg even. 'Ik bedoel, ik doe het met was, maar wie weet wat ze in Latvia doen of waar ze ook vandaan komen.'

'Er is iets heel geks aan de hand.' Blair keek de hele badkamer rond, op zoek naar tekenen van criminele activiteiten. Ze voelde zich als Audrey Hepburn in *Charade*. Ze *wist* gewoon dat ze in gevaar was. Ze kon het *voelen*. Natuurlijk! Eindelijk drong het tot haar door. Ze gooide het beige linnen douchegordijn open, waarbij de dunne gouden gordijnringen rinkelend tegen elkaar schoven.

'Wat is er aan de hand?' Serena moest geeuwen. Ze fatsoeneerde de plooitjes in de taille van haar katoenen zonnejurk van Chloé.

'Ik weet dat ze iets hebben gedaan.' Blair griste haar fles Kerastase shampoo van de plank in de douche. 'En ik weet dat het absoluut niet iets origineels kan zijn. Ik denk dat we allebei weten dat de truc van ontharingsmiddel in de shampoo stokoud is. Weet je nog die keer bij Isabel, toen we een jaar of elf waren?'

Serena stond haar alleen maar aan te staren.

'Nou, *ik* wel.' Blair draaide de dop van de fles. Ze hoefde er niet eens aan te ruiken. Iemand had haar inderdaad een kunstje willen flikken. De krachtige stank alsof iemand een enorme wind had gelaten was overduidelijk. 'Stelletje krengen!'

schold ze. 'Wat een geluk, verdomme, dat ik vanavond mijn haar niet heb gewassen. Ik had er gewoon zin in, om het te laten zitten zoals ik van het strand ben gekomen.' Met een bezorgd gezicht raakte ze even haar enigszins opgebleekte, bruine krullen aan, alsof ze zich ervan wilde overtuigen dat ze ze nog had. 'We verklaren die twee gekken de *oorlog*.'

Ongeduldig maar vastbesloten stormden Blair en Serena de openslaande deuren van het gastenhuis uit en renden over het witte kiezelpad naar het zwembad. Blair keek naar de menigte. Het waren allemaal mannen. Allemaal. *Woeha!* Honderd, misschien wel honderdvijftig mensen en de enige meisjes waren Serena en zij – en Ibiza en Svetlana, natuurlijk.

'Mijn vader zou dit *helemaal te gek* vinden.' Blair wenste bijna dat haar fantastische homovader Harold Waldorf en zijn veel jongere Franse vriend, Etienne of Edouard of welke naam hij ook mocht hebben, niet het goede leven leefden in Zuid-Frankrijk. Ze wilde naast Serena nog iemand hebben om getuige te zijn van wat er zo dadelijk zou gebeuren.

'Mijn meisjes zijn er!' Bailey Winter kwam tevoorschijn uit een groepje van grijze mannen, type nieuwslezer-op-tv, die allemaal een blauwe blazer en een witte, lange broek aan hadden, ondanks het feit dat het zeker nog zes- of zevenentwintig graden was. Bailey zelf had een jasje aan met driekwart mouwen en een driekwart witte broek die zijn lange, fel oranje-met-roze geruite kniekousen liet zien. Hij droeg er witte suède schoenen onder. Huppelend kwam hij Blair en Serena over het pad tegemoet met de vijf blaffende mopshonden in zijn kielzog. Hij stak de meisjes allebei een mollige hand toe.

'Kom, meisjes, maak een sandwich voor Bailey.' Hij giechelde. 'Hopelijk is dit niet het enige trio waarin ik me vanavond ga begeven!' Hij grijnsde en gaf een teken aan de DJ die met ontbloot bovenlijf achter zijn apparatuur stond.

'Leuk feestje,' zei Blair tegen Bailey, terwijl ze naar de vele schaars geklede obers keek die met bladen vol glazen champagne rondliepen.

'Dank je, schat!' riep Bailey. 'Kom, meisjes. We halen een drankje! Hij liep snel naar de bar, terwijl hij de twee achter zich aan trok als jonge hondjes aan de lijn. 'Barman!' riep hij tegen de goudblonde surfjongen – type fotomodel – achter de bar. Zijn uniform bestond – net als bij alle andere mannelijke obers – uit een donkerblauwe bermuda met daarop een wit, laag uitgesneden katoen-met-kasjmier vest, dat perfect op de blote borst viel.

'Wat willen mijn liefjes?' koerde Bailey.

'Twee Negronis.' Blair draaide zich om en keek naar de gasten. Ze zag een heleboel witte broeken wazig afsteken tegen het groene gazon, perfect geknipte kapsels en indrukwekkende biceps die door te korte mouwen zichtbaar waren.

Toen zag ze hen: Ibiza en Svetlana, in het wit gekleed. Stomme na-aapsters. Svetlana had een smakeloos stretchjurkje met een asymmetrische sluiting aan die haar niet-bestaande borst accentueerde. Ibiza had zich in een wit jumpsuit met hotpants gewurmd. Haar rug was bloot. De jumpsuit zag eruit als iets wat Blairs moeder zo'n dertig jaar geleden zou hebben aangetrokken naar Studio 54, een grote nachtclub aan de West 54th Street in Manhattan. Walgelijk.

Waarom er dan niets aan gedaan?

'Alsjeblieft.' De barman gaf twee Negronis aan Blair. 'Ik ben Gavin.'

'Dank je, Gavin.' Serena keek hem flirterig aan en schepte op met haar lange wimpers. 'Dus... jij bent de hele zomer hier?' vroeg ze terwijl ze tegen de verweerde, houten bar leunde.

'Nee, nu niet,' zei Blair snel, terwijl ze haar vriendin bij haar arm pakte. Ze had geen geduld voor het geflirt van Serena – niet nu ze nog even een klusje moesten klaren.

'Sorry.' Serena nam een slokje van haar cocktail. 'Ik vond het net even leuk. Hij is waarschijnlijk de enige niet-homo hier.'

'Bailey, ik wil zo graag even bij de DJ gaan kijken,' kondigde Blair aan.

'O, lieverd, kun je *gedachten* lezen?' Bailey nam de twee meisjes bij hun elleboog en leidde ze om het zwembad heen naar de met roze accenten versierde open, witte strandtent die voor de gelegenheid was opgezet. 'Die tent is goed, hè, vinden jullie niet? O, weg, meisjes.' Hij gebaarde dat Ibiza en Svetlana die in de kratten met cd's stonden te kijken weg moesten gaan. 'Hij heeft *werk* te doen!'

'Ve helpen hem,' protesteerde Ibiza terwijl ze mokkend een slok van haar chardonnay nam.

'Ja, vast.' Bailey knipoogde spottend naar Blair.

'Waarom gaan we dáár niet met zijn allen heen om een praatje te maken?' Blair wees naar een spierwit zitje bij het zwembad.

'Ja, ja, jullie gaan maar lekker zitten. Ik bedoel, ik heb die kussens speciaal voor dit feestje laten maken. Dat is de goddelijkste gebleekte Italiaanse zijde. Heel zeldzaam. Heel speciaal. Dus ga lekker zitten en wees mooi. Toe, rennen maar.' Bailey hief zijn champagneglas van Tiffany als groet. 'Ik blijf hier en houd een oogje op onze muziekman. Komt allemaal goed!'

Ibiza en Svetlana nestelden zich in de dikke kussens van ruwe zijde die bijna uit de stoelen puilden. Blair en Serena bleven staan en trokken gezichten.

'Hij is homo, veten jullie dat?' Ibiza nam een slok van haar wijn en keek Blair koud aan.

Blair keek op haar neer. Het was bijna alsof ze op een kermis in een hele rare lachspiegel keek. 'Ja dat weet ik, bedankt.'

'Ik dacht alleen, je veet wel, joelie lopen hand in hand met hem en iek wiel maar zeggen: verwacht niet dat er iets gebeurt,' ging Ibiza verder.

'Waarom zou ik verwachten dat er iets gebeurt?' Blair keek Serena met grote ogen aan.

'Ik weet het niet.' Serena haalde haar schouders op.

'Ik bedoel, wat zou er kunnen gebeuren?' Blair glimlachte, maar struikelde opeens en viel naar voren. Haar nog onaangeraakte cocktail spatte tegen de borst van Ibiza. Blair greep Serena bij haar arm om haar evenwicht terug te vinden waardoor Serena's drankje over Svetlana's hoofd liep.

En wat zou dat?

De mensen die in de buurt van het viertal stonden slaakten geschrokken kreten omdat alles – de witte jurken, de witte kussens, Svetlana's witblonde hoofd – opeens voor hun ogen veranderde en rood-oranje van kleur werd.

'Grote hemel, wat heb ik gedaan?' Blair gebruikte haar wit-met-crème gestreepte cocktailservetje om voorzichtig de voorkant van Ibiza's jurk te deppen.

'Ies verpesjt, kreng. Ies Versace!' Ibiza gebaarde boos dat Blair weg moest gaan.

'Wat is er gebeurd?' Bailey Winter kwam naar hen toe gerend, met zijn handen wanhopig tegen zijn wangen gedrukt. Zijn vijf honden blaften boos tegen de menigte. 'Wat is er aan de hand? Iemand heeft gemorst? Lieve help! Mijn *kussens!*'

'Sij doen dat!' krijste Ibiza, terwijl de oranjerode vlek zich over haar afgrijselijke, vroeger witte jumpsuit verspreidde. Met die grote vlek, de koperkleurige highlights in haar haar en haar te oranje teint begon ze eruit te zien als een mandarijnkleurige Oompa Loompa uit *Sjakie en de chocoladefabriek* van Roald Dahl. 'Sij doen met opsjet!'

'Kom, we halen een paar handdoeken...' Blair draaide zich om en verdween in de menigte die nog steeds stil was van verbazing.

'Handdoeken.' Serena knikte ernstig. Ze trok aan haar eigen

witblonde krullen, en draaide ze even in een dikke knoop om ze op hun plaats te houden.

'Ik heb een minuutje alleen nodig, alsjeblieft!' Bailey Winter stak zijn handen in de lucht en begon iedereen weg te jagen. 'Alsjeblieft, ga terug naar het feest. Doe maar of ik er niet ben.'

Inderdaad: negeer de huilende man met zijn geruite kniekousen, omringd door blaffende honden.

'We geven je een minuut.' Blair greep Serena bij haar hand en trok haar door de menigte mannen heen. Tegen de tijd dat ze bij het gazon kwamen proestten ze het uit van het lachen.

'Wat nu?' fluisterde Serena met verstikte stem. 'We kunnen niet meer terug.'

Blair liet haar hoge, bewerkte, kristallen glas vallen. Het kwam met een plof in het gras terecht. 'Komen we daar overheen?' Ze wees naar de houten schutting die de tuinen van Winter en van de familie Archibald scheidde. Ze liep erheen en ging op haar tenen staan om hem beter te bekijken.

Natuurlijk kom je daar overheen. Op hoge hakken.

'Vast wel.' Serena zette haar glas in het zachte gras en trok zichzelf op aan de schutting. Blair volgde haar. De meisjes manoeuvreerden zich behendig over de schutting heen en belandden op het gazon erachter. Blair inspecteerde haar lichtgele jurk – er zat een vlek op het lijfje waar ze de schutting had geraakt. 'Shit, shit,' siste ze.

Tja, je moet wat voor de goede zaak overhebben.

'Blair? Serena?'

Blair keek op van haar verpeste jurk en zag precies degene van wie ze heimelijk had gehoopt dat ze hem in de tuin van de Archibalds zou vinden.

'Hoi, Nate.' Ze stopte haar haar achter haar oor en glimlachte.

'Ik hoorde iemand schreeuwen. Het klonk als een wild

beest.' Nate zag eruit of hij net wakker was geworden.

Of had zitten blowen; dat was heel wat waarschijnlijker.

'Ik maakte me zorgen over jullie,' ging hij door.

'Wat lief,' koerde Blair terwijl ze Serena bij haar hand pakte. 'Wil je ons naar huis brengen?'

'Wat bedoel je?' Nate knipperde met zijn ogen en staarde hen aan alsof hij nog steeds probeerde erachter te komen of ze echt waren, of alleen maar een verschijning. 'Naar huis, *hierheen?* Natuurlijk. Kom binnen...'

'Nee, *naar huis!'* riepen Blair en Serena in koor. En ze renden over het perfect gemaaide gazon naar de oprit, waar de grote trots en vreugde van Nates vader, een jagergroene Aston Martin Cabriolet, zich koesterde in de koele avondlucht.

Reisje!

timing, daar gaat het allemaal om

'Zo, zo, zo, kijk eens wat de kat heeft binnengesleept.' Chuck Bass schoof zijn titanium Christian Roth zonnebril wat naar beneden op zijn neus en vuurde een achterbakse glimlach op Vanessa af. Ze had nog maar twee stappen gezet in de grote tuin van Bailey Winter, toen Chuck haar pad al kruiste en tegen haar begon te kakelen. Zijn huisdier, de Japanse sneeuwaap Sweetie, zat op zijn schouder in een matrozenpakje, bezaaid met lovertjes. Het beest sprong op en neer op zijn achterpoten en trok aan de kraag van Chucks zachtroze polo van Hugo Boss. Even schoot het door Vanessa's hoofd dat Sweetie die kraag misschien als wc-papier gebruikte.

'O, hoi Chuck.' Ze kon zich vaag herinneren dat hij een nare jongen was. Haar huisgenoot Dan mocht hem om de een of andere reden niet en ze had mensen over hem horen roddelen, hoewel je dat nooit echt kon vertrouwen.

Is dat zo?

'Je hebt net de show gemist, liefje.' Chuck vouwde de kraag van zijn polo weer op zijn plaats en glimlachte veelbetekenend. 'Blair en Serena zijn weer goed bezig, geloof ik.'

'Wat goed dat ze hier zijn.' Vanessa slaakte een zucht van opluchting. Ze was tenslotte speciaal voor hen hierheen gekomen. Ze had een tip gekregen van de nanny van de buren, een rank Iers meisje dat Siobhan heette. Zij was in dienst van iemand, net als Vanessa, maar ze scheen alles te weten over het sociale leven in de Hamptons. Vanessa voelde zich tamelijk onbehaaglijk in haar outfit – een echte zwarte capribroek; ze had hem deze keer niet zelf afgeknipt – met daarop een eenvoudig zwart-wit gestreept topje dat ze bij Club Monaco gekocht had voor ze naar Amagansett vertrok. Maar ze nam aan dat het wel goed was, omdat haar vriendinnen hier waren.

'Ze zijn hier *geweest,* lieverd.' Chuck controleerde afwezig zijn sms'jes. 'Je hebt het allemaal gemist. De orkaan Blair heeft wel enige schade aangericht.'

Achter hem ontstond een hels lawaai: een zeer gebruinde bijna-dwerg knielde hysterisch huilend bij de rand van het zwembad, terwijl een grote groep mooie homo's van hem wegliepen, steeds verder. Tussen een paar met heel veel oranje spetters bevuilde witte kussens stonden twee heel bekende meisjes. 'Maar zijn dat niet...'

'Blair en Serena? Laat je niet voor de gek houden, kind. Allemaal nep. Geef je ogen de kost.' Chuck liep terug, terwijl hij doorging met sms'en. Hij had een BlackBerry.

Vanessa keek weer en besefte dat Chuck gelijk had – de brunette en de blondine van wie ze eerst had gedacht dat het Blair en Serena waren, bleken veel minder mooi en zagen er lang niet zo gezond uit als de originelen. Het feit dat hun ooit witte jurken allebei ontsierd werden door vuile vlekken die op braakselvlekken leken, versterkte dit idee. Ze gluurde naar hen en besefte dat ze de valse versies waren die ze een paar uur geleden op het strand had gezien.

Ja, daar zat ze nu echt op te wachten – een herinnering aan haar verschrikkelijke middag onder de terreur van de tweelingen. De rest van hun tijd op het strand was tamelijk saai geweest, maar toen ze terugkeerden naar huis was Miss Morgan over haar heen gevallen: wat voor zonnecrème had ze voor de jongetjes gebruikt, uit welke boeken had ze hen voorgelezen? Ze voegde eraan toe dat ze het heel prettig zou vinden als Vanessa hun eetlust niet meer zou bederven door hun kaascrackers te geven. Ze had geduldig geknikt, was toen de trappen op gerend naar haar kamer en had iets aangetrokken wat er redelijk toonbaar uitzag. Toen was ze het huis uit gerend. Ze trok zich niets aan van het feit dat ze noch een rijbewijs noch een auto had. In de garage had ze een van de fietsjes van de tweelingen van de haak getild en was naar de beschaving gefietst, in de overtuiging dat het een kwestie van tijd was voor ze iemand tegenkwam die haar kon vertellen waar Blair en Serena wellicht waren. Gelukkig was ze algauw Siobhan tegengekomen.

'Weet jij waar ze heen zijn gegaan, Chuck?' Vanessa draaide zich om en zag de jongen in de menigte verdwijnen, waarbij hij zijn glas hoog boven iedereen in zijn hand hield, omdat hij niets wilde morsen.

Geweldig! Geen Blair, geen Serena, en nu geen Chuck. Vanessa zag opeens zichzelf alleen, huiverend op het strand, terwijl ze een poging deed gekken en moordzuchtige fotomodellen uit de weg te gaan.

Gewoon een avond in East Hampton.

Nou, er is maar één middel tegen een eenzame nacht, bedacht Vanessa, terwijl ze zich tussen de feestvierders in Baileys tuin begaf. Ze liep langs een trio van gespierde mannen in sporthemdjes, op zoek naar de kortste weg naar de bar. Waar anders?

'Een martini met wodka.' Ze glimlachte tegen de barman terwijl ze hem met haar beste ja-ik-sta-op-de-gastenlijst-blik aankeek. Ze dronk bijna nooit sterkedrank, maar met een glas martini in haar hand ging het leven er misschien anders uitzien.

De barman ging vlug aan het werk en gaf haar even later haar drankje. Met het glas in haar hand geklemd keerde ze terug in de menigte. Ze wist niet zeker met wie ze een praatje zou gaan maken. Daar was Chuck die met een lange man stond te praten en te lachen en daar waren de twee aanstellers van het strand, wenkbrauwen fronsend en zielig bezig hun gevlekte jurken te bewerken met vochtige servetten.

Lastige keuze.

Vanessa werkte zich door een kluit mannen-in-witlinnen broeken heen en liep naar de rand van het zwembad. 'Daar ben ik weer,' zei ze als introductie. 'Ik ben Vanessa.'

Het blonde meisje staarde haar dom aan met haar roodbehuilde, enigszins loensende ogen.

'Jaj weer.' De Bizarre Blair keek haar boos aan. 'Ve gaan ons omkleden.' Het meisje greep haar vriendin bij de hand en liep weg van Vanessa. Over haar schouder zei ze: 'Misschien moet jaj dat ook doen.'

Vanessa weerstond de aandrang om de inhoud van haar glas in het gezicht-met-de-vooruitstekende-tanden te gooien. Ze schopte haar teenslippers uit, ging op de rand van het zwembad zitten en liet haar voeten in het blauwgroene water bengelen. Nerveus nam ze slokjes van haar cocktail en probeerde zich over het afschuwelijke schaamtegevoel van ik-ben-op-een-feestje-en-niemand-praat-tegen-me heen te drinken. Toen keek ze op haar horloge, wriemelde aan een lusje van haar broekband en staarde naar het rustige wateroppervlak van het zwembad. Ze deed alsof ze zat na te denken over taken die haar nog te wachten stonden.

'Joe-hoeoe. Sorry, lieverd.'

Had iemand de veiligheidsdienst gebeld?

Vanessa draaide zich op haar gemak om, sprong toen op en stond oog in oog met Bailey Winter zelf, de *gaytastic* modeontwerper die ze op de set van *Breakfast at Fred's* had ontmoet, de dag voor ze in de ban werd gedaan, en die ook de gastheer van dit feestje was, waar ze zomaar was binnengelopen.

'Hoi!' Ze glimlachte enthousiast en hoopte dat ze hem kon laten vergeten dat hij haar niet uitgenodigd had voor zijn *soirée*.

'Ach jee.' De ontwerper haalde een gebloemd zijden zakdoekje uit het borstzakje van zijn marineblauwe linnen jasje en depte er zijn rode ogen mee. 'Nu ben ik even totáál de kluts kwijt. Mijn kussens – daar liggen ze – zijn helemaal verknoeid.'

Vanessa keek met gefronste wenkbrauwen naar de ivoorkleurige kussens vol oranje drankvlekken op de rand van het zwembad. 'Ach, wat zonde!'

'Maar achter de wolken schijnt de zon, schat!' riep Bailey theatraal terwijl zijn tranen spontaan opdroogden. 'En ik durf te zeggen dat ik je een meisje met klasse vind! Wie ben je en waar kom je vandaan? Je bent een pláátje, echt.' Met zijn zakdoek in zijn hand strekte Bailey Winter zijn hand uit en streelde even over Vanessa's wang.

Zijde met snot. Lekker.

'Ik ben op zoek eh... naar een paar vriendinnen van me. Blair en Serena?'

'Ja, ja, die twee feeksen. Nou, ik weet niet waar ze heen zijn en het kan me niet schelen ook!' Met zijn kleine hand pakte hij Vanessa stevig bij haar bovenarm. 'Jij bent het type waar ik naar op zoek was. Jij bent de nieuwste nieuwe voor mijn nieuwe lijn. Eindelijk!'

'Pardon?' Vanessa wilde een stap naar achteren doen, maar dan zou ze in het zwembad vallen.

'Je moet deze zomer bij me blijven,' ging de ontwerper verrukt verder. 'Je energie, je profiel, je... kaalheid. Ze zijn absoluut inspirerend. Zeg dat je het doet, lieverd. Blijf slapen. Minstens voor een nachtje. Toe. Laat oom Bailey je niet hoeven smeken.'

'Hier blijven?' Vanessa keek nog eens goed om zich heen: een moderne, grote villa met veel glas en beton, een glinsterend, blauw zwembad, tientallen perfect geklede en goed verzorgde mannen, gekoelde dranken – het leek wel een film van

Fellini, als Fellini ooit een film over een zomer in de Hamptons had gemaakt. Ze voelde een golf van creativiteit door haar lijf gaan die haar bijna de adem benam. Natuurlijk! Een film in de Hamptons! Een indrukwekkende documentaire, waarin stukken over feestjes afgewisseld worden met eerste, persoonlijke interviews, waarin het creatieve proces te zien is van een van de leidende krachten van de mode-industrie. Het was een beetje Robert Altman, een beetje *Grey Gardens*. En dan had ze het nog niet gehad over het feit dat ze de familie James-Morgan hiermee de stuipen op het lijf zou jagen. 'Hier blijven?' herhaalde ze, terwijl ze langzaam knikte. 'Heel graag. Dat zou ik supergaaf vinden!'

Echt waar?

▷ **gossipgirl.nl**

topics | ◂ vorige | ▸ volgende | stel een vraag | reageer

Disclaimer: alle namen van plaatsen, mensen en gelegenheden zijn veranderd of afgekort om de onschuldigen te beschermen. Mij, vooral.

ha mensen!

Oké, ik weet dat ik je vaste programma al onderbroken heb voor een belangrijke boodschap, maar dit is een *noodgeval.* Ik stuur een APB uit – dat is een alle-punten-bulletin voor het geval je het niet wist – over een paar van onze zeer geliefde mensen...
Verdwenen: een prachtige, jagergroene Aston Martin Cabriolet. Voor het laatst gezien toen hij even na zonsondergang met een flink vaartje uit Georgica Pond vertrok. Verslagen variëren, maar mijn beste bronnen zeggen dat er minstens drie mensen in de auto zaten – een jongen en twee meisjes – en ik krijg tips, dat in elk geval een van de meisjes in het wit gekleed was. Neemt iemand misschien de benen? Hou je ogen alsjeblieft goed open. En nu, terug naar je favoriete bezigheid.

BOEKEN

Ons allereerste, sappige rapport bevestigt waarop ik hoopte en waarvoor ik bang was bij die boekenfreaks: ze zijn heel vreemd in bed. Er wordt verteld dat in een literaire salon in Harlem de weg van het uitwisselen van literaire gedachten naar het uitwisselen van spuug uiterst kort was. Ik heb het over een oprichtingsbijeenkomst. Ik vraag me af of ***D*** en zijn nieuwe vriend ***G*** dat in hun hoofd hadden toen ze gelijkgestemde jonge mannen en vrouwen zochten en sollicitanten vroegen een foto van henzelf mee te sturen... Maar van wat ik hoor, keken deze enthousiaste literatuurkenners verder dan de ketenen van hun identiteit – zoals eh... sekse – en omhelsden eenvoudig de ziel (en een paar andere dingen) van de persoon naast hen. Ik denk dat dat is wat ze bedoelen dat je een boek niet moet beoordelen naar zijn omslag. Kondigt deze kleine, rare orgie het overlijden aan van het literaire debat? Kunnen mensen niet meer in een rommelig appartement in Harlem zitten discussiëren over grote literaire werken zonder daar vrolijk en een beetje hitsig van te worden? Of symboliseert dit de terugkeer van rare organisaties voor groepsseks zoals sexclub *Plato's Retreat*? (Mag ik zeggen... gáts?) Sorry dat ik jullie teleurstel, maar deze ene keer weet ik het niet zeker. Ik *zal* jullie echter vertellen wat het voor mij betekent: ik ga nooit ofte nimmer te ver, hoe 'stimulerend' het evenement ook belooft te zijn.

SCHILDEREN MET CIJFERS

Over feestjes voor homo's of lesbo's gesproken, ik heb nog een appeltje te schillen met een bepaalde flamboyante ontwerper over zijn laatste mode-evenement: waarom moet toch alles en alles wit zijn? Voor mensen die zichzelf als vrije denkers beschouwen is het idee zelf zo... vastberaden en standvastig (hoewel ik misschien alleen maar zit te zeuren, omdat ik niet uitgenodigd werd op het feestje, door het even vastberaden alleen-maar-*mannen*-thema). Ik neem aan dat het een manier is voor de rijke en beroemde mensen onder ons om zich chic en fantastisch te voelen – herinnert iemand zich die rocker wiens appartement in Greenwich Village helemaal wit was? Zelfs zijn gasten moesten zorgen dat ze in het decor pasten. En hoewel het er misschien vijf minuten fantastisch uitziet, is het zó onpraktisch – hallo, dronken mensen, kleurige drankjes en witte banken? Moet ik nog duidelijker worden? Zelf houd ik van kleurig, vooral in de zomer. Om mijn punt te maken volgen hier een paar kleurige favorieten van mij: zonsondergang-roze hemel, blauwgroen zeewater, ijsje van mint en chocolade en als laatste maar zeker niet het minste... gebruinde jongens in pastelkleurige shirts. Over een kleurige combinatie gesproken!

Jullie e-mail

Beste Gossip Girl,
Iek ben mooie brunette uit buitenland dus is er misschien dingen over Amerika die ik niet begrijp. Wil jaj dit uitleggen alsjeblief. Is kaal nu mooi? Vinden Amerikaanse mannen meisjes die er zo uitzien mooi? Met een geschoren hoofd? Graag advies.
– Verward

Beste V,
Ik denk dat je het verkeerd begrepen hebt. Kaal is mooi als we het hebben over een Braziliaanse, maar de meeste mannen die ik ken willen graag iets hebben waar ze met hun vingers in kunnen kroelen. Heel af en toe kan een vrouw het inderdaad zonder een mooie haardos doen. Ik heb het maar één keer eerder goed zien werken. Succes.
– GG

Beste GG,
Ik ben van de zomer in Europa geweest en ik maak me zorgen over mijn grote broer, thuis in New York. Hij heeft geen van mijn ansichtkaarten beantwoord, en toen ik een paar minuten geleden naar huis belde, zei mijn vader dat hij op de vlucht was met een fles absint. Gádver! Denk je dat alles goed met hem is?
– Bezorgde Jongere Zus

Beste BJZ,
Maak je niet druk! Je broer is waarschijnlijk niet weg- maar uitgegaan, amuseert zich en probeert nieuwe dingen uit. Dat is goed, neem dat van mij aan. Als je je zorgen blijft maken waar hij uithangt, stuur me dan zijn foto.

Als ik hem leuk vind, ga ik hem voor je opsporen!
– GG

Gezien

N die voor het eerst dit seizoen op het strand verschijnt met een vriend die ik nauwelijks herkende – wat is er aan de hand, ***A***, heb je gesport? Prachtige resultaten. Ik heb foto's die ik met mijn mobiel heb gemaakt om het te bewijzen. Yummie. Twee meisjes die qua beschrijving overeenkwamen met ***B*** en ***S***, werden gezien, in het holst van de nacht kauwgum kauwend achter een benzinestation op Main Street. Maar laten we dat maar met een korreltje zout nemen, omdat in een ander verslag stond dat ***B*** en ***S*** ook ontharingscrèmes kochten en iets zegt me dat die meisjes zoiets nooit thuis zullen doen en nooit zelf, ook niet als het een noodgeval is. Ik bedoel, er zijn deskundigen voor dat soort dingen en ja, die komen ook aan huis! ***V***, fietsend door East Hampton op een kinderfietsje met oefenwieltjes. Misschien wil ze iets demonstreren voor het milieu? Goed van haar. ***D*** is zelf een goede milieuactivist als hij het inderdaad was die flauwviel op het metrostation in plaats van in de trein te stappen. Tussen haakjes, ***K*** en ***I***: als je van plan bent binnen te komen op een alleen-maar-jongens-feestje, helpt het gigantisch als je een geschoren hoofd hebt en een saaie uniseks outfit aantrekt. Meer dan een paar van onze lezers zagen jullie op je Pucci's wegsluipen naar huis, nadat je bij de ingang geweigerd werd. Sorry, meisjes!
Dit is genoeg voor nu. Ik ga kennismaken met een nieuwe vriend – hij is strandwacht en spreekt alleen maar Nederlands – en jullie hebben werk te doen. Hoe dan ook: ga daar weg en trap wat rotzooi, zodat ik weer wat te vertellen heb. Jullie weten hoeveel ik daarom van jullie houd. En natuurlijk...

Je weet dat je van mij houdt,

gossip girl

voor zonsopgang

'Draai hem iets harder!' Nate hield zijn handen om de vlam van Serena's mooie aansteker en probeerde een sigaret op te steken terwijl Serena de cabriolet over de verlaten Long Island Expressway reed. Was dit de beste manier om de verkeersdrukte in de zomer te vermijden? Ze waren midden in de nacht vertrokken.

Zodra zijn sigaret brandde, gooide Nate de aansteker terug op de lege stoel naast Serena. Serena boog zich naar voren en draaide het geluid van de radio zo hard mogelijk, maar zelfs toen was het bekende nummer van Bob Dylan nauwelijks hoorbaar boven het suizen van de wind uit.

'Ik heb het koud. Kunnen we de kap niet dichtdoen?' Met gefronste wenkbrauwen sloeg Blair haar armen om zichzelf heen.

'Ik weet niet hoe het werkt,' bekende Nate. 'Maar ik kan je helpen warm te blijven als je dat wilt.' Hij sloeg zijn linkerarm beschermend om Blairs schouder.

Net als vroeger.

Blair leunde naar voren en pakte de sweater van de lege stoel. Serena had hem daar neergelegd. 'En ik ben *moe,*' zei Blair.

Wie was op het heldere idee gekomen om te stoppen en iets te eten? Ze trok de sweater aan en leunde naar achteren in de karamelkleurige leren bekleding.

Het was eigenlijk Blairs voorstel geweest om te gaan eten. Ze had in Merritt willen stoppen bij een eettent – ze waren daar vroeger met haar ouders altijd gestopt op hun familietripjes naar Southampton toen ze nog klein was – maar ze waren verdwaald en het had anderhalf uur geduurd om het eethuis te vinden. Nate besloot haar niet daaraan te herinneren.

'Misschien kun je een poosje gaan slapen,' stelde hij voor.

'We zijn er zo!' riep Serena van achter het stuur. 'Ik kan de stad al bijna ruiken!'

Nate snoof de koele, vochtige lucht op. Hij rook alleen maar zijn brandende sigaret en het aroma van honing en amandel van Blairs haar. Hij kon ook niet veel zien, alleen de vage omtrekken van de auto en zijn vrienden, en de donkere leegte van de wildernis langs de snelweg, die nauwelijks verlicht werd door een dunne, halve zomermaan. Nadat ze nog een paar keer hadden moeten stoppen – om te tanken, om suffe foto's te nemen van hen drieën terwijl ze gezichten stonden te trekken voor de mooiste landschappen, om sigaretten te kopen en cola light en om iets eetbaars uit een automaat te trekken, hadden ze het toch klaargespeeld het grootste deel van de nacht te verspillen. Het leek bijna onmogelijk dat Nate binnen een paar uur weer op die stomme fiets moest klimmen om bij coach Michaels' huis te verschijnen voor weer een dag van hard werken en seksuele pesterijen.

Hij zal zich wel ziek melden. Opnieuw.

'Maar wat zijn we eigenlijk van plan?' Serena keek over haar schouder naar de achterbank. 'Waar breng ik ons heen?'

'Laten we naar de Ritz gaan.' Blair begon op de bank te wippen als een klein kind dat moest plassen. 'Laten we een suite nemen en roomservice laten komen met lekkere dingen en morgen de hele dag slapen.'

'We kunnen ook nu in de Three Guys gaan koffiedrinken en onze buik rond eten aan pannenkoeken,' stelde Serena voor.

Nate woog de opties af: een hotelkamer delen met Blair en Serena of een vet ontbijt in de vroege ochtend.

Beslissingen, beslissingen.

Maar Nate had zijn eigen plan. Hij had er al een paar dagen aan gedacht, sinds Anthony tegen hem gezegd had dat hij de dag moest plukken. En hij wist wat hij wilde: een spontane, onvoorbereide zomercruise op de boot van zijn vader. Hij zag het voor zich. Hij zou hen de haven van New York uit zeilen, terwijl de zon opkwam over East River. Ze zouden naar het noorden varen, naar de Cape en uiteindelijk naar het huis van zijn ouders op Mt. Desert Island, Maine. Ze zouden de rest van de zomer in hun ondergoed rondhangen op het zonovergoten dek. Ze zouden overboord duiken en als kinderen in het koude water spelen. Ze zouden aanleggen in haventjes van stadjes zodat hij sigaretten en bier kon kopen en Blair tijdschriften en wat ze nog meer nodig had. En dan, als ze trek hadden gekregen van het vissen of zwemmen of de liefde bedrijven, zouden Blair en hij de goed bevoorrade keuken binnenvallen en artisjokharten zo met hun vingers uit het blik eten.

Vergeten we niet iemand?

Dat was de zomer die hij zou gaan hebben en eindelijk plukte hij de dag. Het enige probleem was, eh... Serena. Het was geen probleem dat Blair en hij niet weer een koppel waren. Ze hadden ups en downs gehad, zolang ze elkaar kenden, maar ze kwamen altijd terug op hetzelfde punt: ze werden verondersteld samen te zijn. En dat punt kwam weer. Dat punt was er op de *Charlotte*. Nate deed zijn ogen dicht en probeerde wanhopig te denken aan een jongen die ze mee konden nemen op hun grote reis om Serena bezig te houden terwijl hij zijn best deed Blair terug te winnen. Jeremy? Anthony? Nee, die waren niet van Serena's niveau.

Hij gooide zijn sigaret uit de auto en schraapte zijn keel. 'Ik heb het,' kondigde hij aan. 'Laten we de *Charlotte* nemen en daarmee wegvaren.'

'Supergaaf!' Serena haalde haar handen van het stuur en klapte. 'Natie, je bent een genie!'

'Ik weet het niet.' Blair ging rechtop zitten. 'Ik wil eigenlijk alleen maar douchen en naar bed.'

Blair schoof heen en weer op de bank. Haar knie raakte die van Nate. Deed ze dat met opzet? Er ging een golf van elektriciteit door zijn lijf. Hij voelde zich helderder in zijn hoofd en had meer zelfvertrouwen dan hij in maanden had gehad. Het was alsof alles wat hem de laatste tijd overkomen was – hij was bijna gezakt voor zijn eindexamen en was om die reden voor slavenarbeid naar zijn lacrossecoach in de Hamptons verscheept, plus dat hij een rare, korte romance had gehad met Tawny – hem op dit moment hierheen had gebracht. Het was niet erg dat hij van plan was over een paar uur met zijn werk te kappen, niet erg dat hij zijn vaders gekoesterde bezitting had gestolen, niet erg dat hij misschien zijn diploma niet kreeg. Hij was bij Blair en als ze bij elkaar waren, leek het of verder alles in de wereld gewoon... *goed* was.

'Er is een douche aan boord,' hielp Serena Blair herinneren, terwijl ze haar trillende en knipperende Nokia van haar schoot pakte. 'Doe niet zo kinderachtig!' riep ze over haar schouder. 'Hallo?' zei ze in de mobiel. Wie belde er, verdomme, om vier uur in de ochtend?

'Hoi Serena. Hoe is het met je? Met Jason. Je weet wel, je benedenbuurman in het huis op Seventy-first Street?'

Serena glimlachte stilletjes tegen de weg. Blair verwachtte dit telefoontje totaal niet.

'Hoi!' Ze antwoordde met haar vriendelijkste, meest opgewekte stem. Jason was leuk, maar ook zo vergeten. Na de afscheidspartij van *Breakfast at Fred's* was dat precies wat de twee meisjes hadden gedaan: ze waren hem vergeten. Maar Serena was niet het meisje waar Jason op viel. 'Ik denk dat je Blair wilt spreken.' Ze schakelde terug voor een scherpe bocht in de weg.

'Ja, eigenlijk wel,' gaf Jason toe.

'Ogenblikje.' Serena gooide haar mobiel naar achteren, waarbij per ongeluk Blairs neus werd geraakt.

Blair was heel gelukkig verdiept in een van haar filmachtige heldendromen, waarin zijzelf en Nate naakt op een strand lagen in St. Barts, zoenend in het zand, terwijl de golven over hun lijf spatten, net zoals Deborah Kerr en Burt Lancaster in *From Here to Eternity*. Ze pakte de mobiel. Waarschijnlijk was het haar moeder die zich afvroeg waarom er met haar creditcard een bedrag bij Tod was uitgegeven van tienduizend dollar.

'Hallo?' zei ze enigszins geërgerd. Nates been was zo warm tegen het hare. Ze legde haar hoofd op zijn schouder en zocht wat troost terwijl ze zich voorbereidde op een buitengewoon vervelend gesprek. 'Wat is er, mam?'

'Nee, ik ben het, Jason,' antwoordde een schorre jongensstem aan de andere kant.

Blair tilde haar hoofd van Nates schouder en hield de telefoon een stukje van haar gezicht verwijderd. *Wie?*

Ze keek naar Nates profiel. Hij begon in te dutten en ze wilde hem pakken en haar handen onder zijn hemd steken, alleen maar om zijn warme huid onder haar vingers te voelen.

'Hallo, Blair?' Jasons stem kwam krijsend uit Serena's telefoon. Blair klapte het ding dicht en gooide hem op de lege stoel naast Serena.

'Blair!' schold Serena. De twee meisjes giechelden en wisselden blikken via de achteruitkijkspiegel.

Nate verschoof op zijn plaats. 'Waarom lachen jullie?' mompelde hij, waardoor ze nog veel harder begonnen te lachen.

Toen keek Blair opzij en zag dat Nate haar zat aan te staren. Maar voor hij verlegen kon wegkijken, liet ze een ooglid zakken en het werd de meest sexy, meest onverwachte knipoog die Nate ooit had gezien. 'Mag ik een sigaret?' vroeg ze ten slotte terwijl ze zachtjes op haar glinsterende onderlip beet.

'Natuurlijk!' Hij groef in zijn zakken naar het pakje. *Wat je maar wilt.*

Gadverdegadver.

De zon moest zijn opgegaan in de vier minuten die het duurde om door de Midtown Tunnel te rijden, de stad in. De lucht was donkerpaars toen Serena de auto in de gapende mond van de tunnel stuurde en tegen de tijd dat de kleine sportwagen eruit kwam en door de straten van Manhattan reed, was de zon op. De auto's toeterden en het begon al warm te worden.

Nate probeerde Blair niet al te nadrukkelijk aan te gapen, wat moeilijk was, omdat ze zo dichtbij hem zat dat hij haar kon ruiken, dat hij zich kon voorstellen hoe het zou zijn om het gewicht van haar lichaam tegen het zijne te voelen als ze in slaap zou vallen. Hij kon het zachte gevoel van haar lippen en tong tegen de zijne oproepen, omdat het niet erg waarschijnlijk was dat ze met elkaar gingen zitten zoenen op de achterbank.

Hou op. Concentreer je. 'Rij maar naar de binnenstad.' Nate keek Serena aan in de achteruitkijkspiegel. *Wist ze wat hij dacht? Zag ze iets?*

Niet dat ze het lef niet had om iets te zeggen.

'Aye, aye, captain.' Serena maakte een grote bocht naar rechts, de Franklin Delano Roosevelt Drive op, waardoor Nate en Blair op de achterbank naar links geslingerd werden.

'Laat ons in leven!' Blair stopte haar door de wind in de war geblazen haar achter haar oren.

'Maak je niet bezorgd.' Nate drukte even geruststellend tegen haar rechterknie.

Blair keek naar hem op met glazige, slaperige ogen, maar die ogen waren van hetzelfde schitterende blauw als ze altijd waren geweest. Ze glimlachte en legde haar hoofd op zijn schouder, terwijl ze hem nog steeds aankeek.

Nate grijnsde terug, voelde zich stom en een beetje opgelaten alsof hij weer vijftien was. Hij verloor zichzelf in het gevoel van de wind in zijn haar, het brommen van de motor, de geur van het meisje van wie hij hield en dat tegen hem aan leunde. Het duurde tien minuten voordat Serena de auto in het drukke ochtendverkeer op de snelweg had ingevoegd en het was vijf minuten door de slingerende straten in de binnenstad voor ze bij de havens waren bij Battery Park, waar de *Charlotte* van Kapitein Archibald lag.

'We zijn er, mensen,' kondigde Serena aan, terwijl ze de kleine auto een parkeerplaats opreed, stopte en de contactsleutel omdraaide.

'Klaar om te zeilen?' Nate deed het achterportier open, stapte uit en snoof de lucht op. Het was een mengeling van uitlaatgassen, zout water en warm asfalt. Het was een mengeling van alles waar hij zo dol op was – de stad, vooral 's morgens vroeg, en de kust waar hij de heerlijkste weken van zijn leven had doorgebracht. Misschien had hij te lang opgevouwen op de kleine achterbank gezeten, of misschien was hij alleen maar opgewonden bij de gedachte aan de heimelijke cruise die hij zou gaan ondernemen, maar wat de reden ook was, Nate begon te rennen, maakte een zijsprong voor voetgangers en sprong over een laag hek dat de haven van de straat scheidde. De rubberzolen van zijn teenslippers klapten lawaaierig op de grijze verweerde houten latten van de steiger. Hij hoorde zijn hart kloppen in zijn oren. Nu zou het echt gebeuren – de zomer was eindelijk begonnen. Zodra hij en Blair op die boot waren, zou alles veranderen.

'Meneer? Meneer?' Een jonge dokwerker in uniform rende over de steiger naar Nate en zwaaide met zijn handen in de lucht boven zijn hoofd alsof hij door bijen werd aangevallen. 'Dit is privéterrein, meneer. Wilt u weggaan?'

'Ik zoek mijn boot,' legde Nate uit, terwijl hij in het woud van masten zocht naar de *Charlotte*. Hij had zijn vader geholpen de boot te bouwen en zou hem overal kunnen herkennen. 'De *Charlotte*. Hij moet hier ergens liggen. Ik wil gaan varen.'

'De *Charlotte*?' De dokwerker – het was een jongen van studentenleeftijd die redelijk cool leek – staarde Nate verward aan. 'De boot van de familie Archibald?'

'Ja,' antwoordde Nate. Hij keek om. Blair en Serena zaten op het hek, zwaaiend met hun benen. Ze lachten om iets. 'Het is onze familieboot. Kun jij me het nummer van de ligplaats geven?'

'Sorry.' De jongen schudde langzaam zijn hoofd. 'De boot is niet hier. Kapitein Archibald is er begin juni mee naar Newport gezeild – hij zei dat hij van plan was de boot het hele seizoen daar te houden.'

Shit. Nate keek de jongen fronsend aan, keek toen nog een keer om naar Blair. Ze liet haar bruine benen nog steeds bengelen, toen een plotselinge windvlaag haar doorschijnende jurk deed opwaaien tot aan haar middel. Ze had zachtroze katoenen ondergoed aan. Hij kon nog net zien dat haar slipje met witte noppen bedrukt was.

Vergeet de boot: het enige wat hij nu nog wilde, was naast haar liggen, haar hand vasthouden en nooit meer loslaten.

de waarheid komt voor de dag en d komt uit de kast

'Jongens Kont... Jongenskont.'

Dan kreunde en draaide zich om tussen de zachte, ooit witte, nu met koffie- en nicotinevlekken bevuilde lakens van zijn bed. *Jongenskont*? Hevig zwetend schudde hij zijn hoofd op het kussen heen en weer.

'Jongen, kom! Jongen, kom! Ben je wakker?' Rufus Humphrey, Dans vader, de ontstuimige-en-excentrieke-uitgever-van-minder-bekende-beatdichters bonkte dringend op de deur van Dans kamer. 'Jongen, kom!' Dan zat opeens rechtop in bed. *Jongen kom, idioot, geen jongenskont.* 'Ik ben wakker!' riep hij met schorre stem.

'Post voor je. Help me eraan denken dat ik je een keer vertel over de vroege vogel en de worm.' Rufus kwam vastberaden de kamer binnen, typisch gekleed als iemand die prettig gestoord is: een sjofele timmermansbroek die helemaal onder de ivoorkleurige verfspatten zat. Diezelfde kleur verf zat ook op de muren van het appartement. De broek leek daardoor een jaar of negentien oud. Op die broek droeg hij een officieel crewjack van *Breakfast at Fred's* dat hij gepikt moest hebben uit een stapel vuile was van Vanessa. Het jack hing los en toonde een borst met donzig grijs haar. Hij had een grote kartonnen doos in zijn handen die iemand lukraak had ingepakt met bubbeltjesplastic, vloeipapier, dik ijzergaren en twee soorten plakband. In vijf talen stond het woord BREEKBAAR op de doos geschreven. Rufus liet het pak op bed vallen. 'Voor jou.'

'Jezus.' Dan pakte de lompe doos op. Hij had hem de lucht in kunnen gooien, zo licht was hij. 'Ik heb niet het gevoel dat er ook maar *iets* in zit.'

'Maak het pak nou maar snel open,' drong Rufus aan. 'Je zusje heeft het opgestuurd en dat zal niet goedkoop zijn geweest, dus denk ik dat er iets leuks in zit.'

'Vast en zeker.' Dan begon aan het ijzergaren te trekken.

'Ik heb je gisteravond niet thuis horen komen.' Rufus keek grijnzend neer op Dan. 'Dus is de eerste bijeenkomst waarschijnlijk heel goed gegaan, of niet? Laat opgebleven en debatteren over de waarde van de minder bekende toneelstukken van Shakespeare, hè?'

'Zoiets.' Dan moest nog een dikke laag papier van de doos halen voor hij eindelijk bij de deksel was. Als er de vorige avond gediscussieerd was, kon hij zich dat in elk geval niet herinneren. Hij kon zich nauwelijks iets herinneren, behalve het gevoel van Gregs tong op de zijne en het donzige gezichtshaar van Greg tegen zijn stoppelbaard.

Oei!

'Ik kan me mijn salon van vroeger nog goed herinneren.' Rufus ging op de vensterbank zitten en keek toe terwijl zijn zoon de deksel optilde en zijn hand in de doos stak. Dan trok er een hele hoop proppen krantenpapier uit. 'Het ging er af en toe volslagen krankzinnig aan toe.'

'Nou, zo krankzinnig was het niet bij ons,' antwoordde Dan verdedigend. Eindelijk voelde hij iets stevigs in de bergen krantenpapier. Hij trok hard aan het smalle voorwerp tot het eruit kwam. De kartonnen doos viel op de grond, waardoor de rest van de proppen papier uit de doos kwamen en in alle richtingen wegrolden.

Rufus lachte. 'Jammer, zoals de kinderen van nu zijn. Geen passie, geen lef. Ik weet nog goed dat toen ik zo oud was als jij, ik met vrienden naar de meren ging in New England. Kamperen, gedichten schrijven, hele nachten zitten praten.'

Dan luisterde maar half, terwijl hij het voorwerp in zijn handen bekeek: het was ongeveer zestig centimeter lang en stevig gewikkeld in een cocon van bubbeltjesplastic en plakband. Hij probeerde een nagel onder de verpakking te steken en dacht maar steeds aan de dingen die de avond daarvoor gebeurd waren. Hoe ver was hij precies met Greg gegaan? Hoe was hij thuisgekomen? Hij kon zich nauwelijks herinneren dat hij in bed was gestapt. En hij was wakker geworden in zijn favoriete rode boxer van Gap – had hij die gisteren ook aan gehad? Hij kon het zich niet herinneren.

Rufus had een afwezige blik in zijn ogen, toen hij vervolgde: 'Ik herinner me een middag bij het meer. Opeens leek het of alles verhit werd. We zwommen allemaal naakt en ik had een hartstochtelijke ruzie met Crews Whitestone – je weet wel, de toneelschrijver. We hadden het over het essentiële karakter van de waarheid en we raakten uiteraard zo opgewonden dat we binnen de kortste keren worstelend over het strand rolden, waarbij we allebei probeerden de ander te laten toegeven dat de opvatting van de waarheid van de tegenstander de beste was.'

Dan luisterde maar half naar het pornografisch gemompel van zijn vader. Hij had een gat gevonden in het bubbeltjesplastic, waardoor hij dat helemaal van het lange, keramische... ding kon afhalen.

'Ja, jullie literaire bijeenkomsten van nu zijn waarschijnlijk veel waardiger, of niet?' ging Rufus door. 'Maar zó vonden we het toen leuk: naakt, helder, vechtend om de waarheid. Mijn god, dat waren pas dagen.'

Terwijl Dan nog steeds probeerde zijn vader het zwijgen op te leggen, gooide hij het overtollige pakpapier weg en keek naar het voorwerp in zijn handen. Het was een lang, hol, spits toelopend kaarsvormig voorwerp van witte keramiek, afgewerkt met een zachte, uitnodigende glazuurlaag. Het ding was ongeveer zestig centimeter lang en open aan de bovenkant, dus moest het een vaas of zoiets zijn geweest. Aan de onderkant zaten twee kleine, ronde stukken, een aan elke kant, die de hoge schacht stabiliseerden. Het was een vaas. Het was iets. Het was... ja, een mooi geglazuurde penis.

Was *dit* wat zijn zusje verstond onder een *cadeautje?* Hij zette de vaas – of wat het ook was – op zijn nachtkastje en keek er aandachtig naar.

'Nou, die zou ik altijd herkennen,' grinnikte Rufus, terwijl hij zijn verhaal even onderbrak. Hij pakte de vaas op en streelde hem zachtjes. 'Jij weet wie dit gemaakt heeft, hè? Je moeder. Ze is een goede keramiste.'

'O ja?' Dan nam de vaas over van zijn vader en bekeek hem van dichtbij. Misschien vergiste hij zich en leek het ding op een raket in de vlucht, of op iets buitenaards, of wellicht was het een abstracte voorstelling van een aardse moeder die aan beide kanten door haar kinderen werd geflankeerd.

Nee. Hoe hij er ook naar keek, met zijn ogen half dichtgeknepen, of met een snelle blik, hoe hij zijn hoofd ook draaide, het ding bleef eruitzien als een grote penis.

Hij draaide de vaas om en zag een kleine met de hand gegraveerde inscriptie in de bodem. 'Een totem voor mijn zoon. Met liefde gegeven.'

Een *totem?* Wat werd daarmee bedoeld? Probeerde zijn moeder hem iets te zeggen, iets over hemzelf, waar hij op een of andere manier nooit eerder achter was gekomen? Hij had zijn moeder jaren niet meer gezien en nu dit – een penisvormige vaas die toevallig per post wordt bezorgd, en maar een paar uur nadat hij met een jongen had gezoend? Maar hij was geen homo. Hoe kon hij een homo zijn? Hij hield van meisjes. Hij was verliefd geweest op Serena van der Woodsen. Hij was verliefd geweest op Bree. En hij was het meest verliefd geweest op Vanessa.

Inderdaad: het meisje dat er als een jongen uitziet.

Was het mogelijk dat hij homo was en dat iedereen, behalve hijzelf – dit steeds had geweten? Was hij een van die blijkbaar homoseksuele jongetjes die graag theedrinken met hun knuffelberen en knuffelolifantjes en de afgedankte tassen van hun moeder als schooltas gebruiken?

Met een zucht zette Dan de vaas op de grond naast zijn bed. Hij keek op naar zijn vader die in gedachten verdiept was. 'Je was bezig te vertellen over het naaktzwemmen en de literaire discussie.' Dan zweeg even. 'Was dat eh... normaal? Dat je literaire gesprekken met jou eindigden – zeg maar – naakt met een of andere kerel?'

'Normaal!' Rufus lachte hartelijk. 'Geloof me, als het om literatuur gaat is er niets normaler. Passie. Vuur. Jonge mensen zitten vol passie en vuur. Het moet er op de een of andere manier uit.'

Dan knikte met gefronste wenkbrauwen. 'Dus je zegt dat, naar jouw ervaring, het niet abnormaal is dat een literaire salon eindigt in een seksorgie tussen mensen van hetzelfde geslacht?'

'Normaler dan je denkt, jochie.' Rufus haalde liefdevol een hand door het rommelige bedhaar van zijn zoon. 'Jammer dat de tijden veranderd zijn.'

Ja, jammer.

de waarheid – uiteindelijk vreemder dan verzinsels

'Draai je hoofd om, een kleine centimeter naar links... Nog een centimeter...' Vanessa gehoorzaamde en draaide haar hoofd iets naar links om Bailey Winter een vrij zicht op haar profiel te geven.

'Mijn hemel, is dit niet absoluut smullen?' Bailey praatte tegen niemand in het bijzonder, terwijl hij met zijn potlood driftig in zijn in krokodillenleer gebonden schetsboek krabbelde en de bladzijden als een bezetene omsloeg. 'Ja, ja, Vanessa, lieverd, dit is het. Je hebt het helemaal. Giselle en Kate en die kleine snoepjes kunnen wel naar hun geld fluiten, of niet, wijffie?'

Vanessa luisterde maar half, omdat ze toch niet wist wie Giselle en Kate waren. Ze wriemelde wat aan de camera die als een klein katje op haar schoot lag. Ze rustte uit op een lange stenen divan die beladen was met tapijtjes van bont en allerlei kussens, waardoor ze zich heel comfortabel voelde. Warm was het wel op deze middag in juli, maar ze had een mooi, helder uitzicht op het zwembad. Ze keek naar Chuck Bass die in het ondiepe deel van het bad lag te spartelen. Hij droeg een gebloemde zwembroek – Europese stijl – die niets aan de verbeelding overliet. Zijn aap zat op de springplank en at een schaal druiven leeg.

Wat erotisch.

Ze mocht zich niet te veel bewegen, dus kon ze de opname met haar camera niet door de zoeker bekijken, maar ze vertrouwde erop dat het filmtechnisch goud zou zijn: daar waadde Chuck door het ondiepe water en kletste erop los in zijn bluetooth headset. Sweetie zat op de achtergrond luidruchtig te kauwen. Achter hem was Stefan, de magere huisjongen, bezig het stenen pad te vegen dat van de tennisbanen naar de villa liep. Hij deed alle moeite niet per ongeluk de vijf verwende mopshonden te raken die boos de bezem aanvielen. Af en toe zocht ze met de camera Bailey Winter zelf, in zijn ouderwetse kaki jongenspak – met korte broek en al – dat hij opnieuw had laten maken, omdat het oorspronkelijke hem te klein was geworden. Het was het ruwe materiaal voor een documentaire waar je met open mond naar zou kijken.

'Laat de camera wat meer met rust, lieverd,' kakelde Bailey afkeurend.

Vanessa knikte glimlachend en draaide haar camera weer naar de actie in het zwembad. Terwijl ze zo stil zat, dwaalden haar gedachten af naar de wervelwind van de afgelopen paar weken. Ze was van Hollywood-actrice naar de Hamptons – zonder vrienden – gegaan, waar ze kindermeisje werd van een vrouw die als maîtresse werd onderhouden. Het was allemaal best spannend, maar het punt was dat ze iemand miste om het mee te delen.

Vanessa verraste zichzelf toen ze besefte dat ze niet zonder meer in de ruimte zat te staren: ze bewonderde het perfect gebruinde bovenlijf van Chuck Bass, de kleine rimpel in zijn spieren als hij zijn hand door zijn natte-maar-nog-steeds-perfect-warrige donkere krullen haalde. Terwijl ze even alles vergat wat ze over de jongen wist, elke wisselwerking die ze ooit met hem had gehad, en elke vette roddel probeerde te negeren, wilde ze hem eigenlijk... aanraken. Onwillekeurig likte ze langs haar lippen.

'Dat is het!' Bailey Winter gooide zijn potlood in het zwembad en greep een ander. 'Je ziet er geweldig uit. Voldaan en hongerig tegelijk. Alsof je graag nog een lekker toetje lust, hoewel je net het kostelijkste eten ooit hebt gegeten!'

Vanessa bloosde verlegen en hielp zichzelf toen herinneren dat ze Chuck Bass niet zozeer bewonderde, alleen maar de verschillende lichamelijke kenmerken van hem. De waarheid was dat haar type man een beetje magerder en minder bruin was dan Chuck. De gedachte aan Dan haalde opeens haar mondhoeken naar beneden.

'Kin omhoog, lieverd! Waar is die glimlach gebleven?' Bailey Winter klapte een-, twee-, driemaal in zijn handen, als een radeloze cheerleader.

Vanessa probeerde een glimlach te forceren, maar op de een of andere manier had de gedachte aan Dan alles verpest. Ze miste hem. En de gespierde borst van Chuck Bass was geen surrogaat voor liefde. Zuchtend richtte Vanessa de camera op het smaragdgroene gazon rond de villa. Ze hield zich voor de zoveelste keer in haar leven voor dat alles wat ze echt bezat haar kunst was.

Ze richtte de camera weer op Chuck die nu bij de rand van het zwembad met Stefan stond te praten. Sweetie sprong achter hem op en neer, en plaagde de mopshonden, die boos blaften.

'Meisjes! Alsjeblieft, een beetje rustiger!' Bailey stak zijn vingers in zijn mond en floot schril en verrassend hard. 'Pappa werkt! Ik kan me niet concentreren met al dat lawaai!'

'Sorry, Bailey.' Chuck draaide zijn hoofd om en grijnsde over zijn schouder. 'Ik zal proberen ervoor te zorgen dat Sweetie hen niet meer plaagt.'

'Wat doet dat verdomde monster eigenlijk in mijn zwembad?' riep Bailey. Zijn huid veranderde van bronskleurig naar diep-paars.

Vanessa richtte haar camera op de andere kant van het zwembad en het werd haar onmiddellijk duidelijk wat dat verdomde monster aan het doen was: Baileys weggegooide potlood was niet het enige wat op de oppervlakte van het water dreef.

'Zeg dat het niet is wat ik denk!' Bailey schreeuwde nu, hard.

'Sorry, Bailey.' Chuck waadde naar de drol. 'Sweetie heeft soms geen controle over zijn blaas en darmen.'

'Eruit! Eruit! Ik wil niet dat jij mijn heilige der heiligen verandert in een riool! Dit is East Hampton, niet Calcutta!'

Vanessa duwde zich omhoog van de divan, stabiliseerde met beide handen de camera terwijl ze vlug inzoomde. Dit was filmtechnisch gezien een *goudmijn*.

Ja, of een landmijn?

AIR MAIL – PAR AVION – 12 juli

Lieve Jenny,

Ik ben homo.

Liefs,
Dan

op tijd terug

'We zijn thui-ui-uisss!' Serena's stem echode door de hal en drong door tot diep in het appartement van haar ouders, dat – ze wist het zodra ze de deur openduwde – leeg was. Het had die donkere, rustige koelte van een thuis zonder iemand erin, wat haar nauwelijks verbaasde, omdat haar ouders meer tijd in het buitenland doorbrachten dan hier, behaaglijk genesteld op de bank. Ze wist niet eens zeker wanneer ze hen voor het laatst samen op de bank had zien zitten.

'Jee, ik moet nodig plassen.' Blair schoof langs haar heen het appartement in en knipte een paar lampen aan. Het penthouse van Serena's ouders was even vertrouwd voor haar als haar eigen huis. Ze rende door de lange gang en verdween in de badkamer bij Serena's kamer. Nate schoof achter hen naar binnen en deed de deur iets te hard dicht. De klap werd versterkt door de spookachtige stilte van de kamers.

'Sorry.' Hij zond Serena een scheve glimlach.

'Niet erg.' Serena gooide haar sleutels op de mahoniehouten wandtafel, waarop ze rinkelend belandden. 'Laten we op zoek gaan naar iets te eten.' Ze liep voor Nate uit de gang door en ging door de klapdeur de keuken binnen.

Ze keek in de bijna lege diepvriesla en noemde de opties: 'We hebben wat olijven. Een zak kleine worteltjes. Ik geloof dat er ook nog wat kaas is. En ergens kun je vast wat crackers of zoiets vinden. Ik weet niet waar het nieuwe meisje alles opbergt.'

Het is *inderdaad* moeilijk goed personeel te vinden.

'Ik ga wel op zoek.' Nate liep snel naar de voorraadkast en begon hem te plunderen. Hij haalde er potten en doosjes uit en zette die met een klap op het stenen aanrecht.

'Ik neem maar zoveel mogelijk mee, denk ik.' De reden waarom ze naar het appartement van de Van der Woodsens waren gereden was om te slapen voor ze met de auto op zoek zouden gaan naar de *Charlotte* en ook om de essentiële dingen mee te nemen: kleren en drank.

Serena liep naar de drankkast die door haar ouders nooit op slot werd gedaan. Ze stopte flessen whisky, Bacardi, Southern Comfort, Wodka in haar tas van Hermès. De opbergplaatsen van dingen ontdekken terwijl Nate en Blair wat door het huis scharrelden herinnerde Serena aan tijden die lang voorbij waren. Niets was veranderd en alles was veranderd. Die gedachte maakte haar onverwacht treurig.

We worden allemaal een beetje humeurig rond onze verjaardagen.

Serena sloop heimelijk haar vaders bibliotheek binnen en liet zich in zijn Aerondraaistoel zakken. Ze pakte de telefoon van zijn bureau en toetste een van de weinige telefoonnummers in die ze kon onthouden.

'Hallo?' De stem van haar broer Erik klonk zeer wantrouwig. Het was ten slotte zes uur 's ochtends.

'Ik ben het.' Serena leunde naar achteren en legde haar blote voeten op het oude mahoniehouten bureau van haar vader.

'Shit, Serena. Ik zag het nummer van thuis en was even bezorgd.' Erik lachte.

'Ze zijn er niet.' Ze keek naar de muren vol met goedgevulde boekenplanken, naar de ingelijste familiefoto's van Erik op de tennisbaan en Serena op een zwart paard, van haar gebruinde ouders die Campari-soda dronken op een terras aan de kust van Amalfi.

'Wimbledon,' zeiden Serena en haar broer tegelijk.

'Ze zijn ook zo voorspelbaar,' mopperde Erik. 'Wat doe jij thuis, trouwens?'

'Ik plan een kleine zomerse uitstap. Dacht: ik bel mijn broer even. En waar zit je precies?'

'Connecticut,' antwoordde hij. 'Ik dacht dat pap misschien belde om te zeggen dat ze hierheen kwamen.'

Serena keek door de openslaande deuren naar de kamer waar Nate achter Blair aan rende om een Chesterfieldbank heen in een poging augurken in haar oren te steken. 'We gaan met de auto,' zei Serena. 'Ga je mee? We hebben nog voor één persoon ruimte in de auto.'

En misschien wilde ze zich niet het derde wiel aan de wagen voelen?

'Klinkt aanlokkelijk. Maar ik ben hier bezig aan de grote opruiming. Waarom komen jullie niet naar Ridgefield?'

Ze dacht snel na – ze konden hier vandaag slapen en morgenochtend vertrekken. Misschien lukte het haar Blair en Nate zover te krijgen een nachtje in Ridgefield te blijven en hopelijk zou iemand beseffen dat ze de volgende dag jarig was. 'Ik denk dat we dat wel kunnen regelen.'

Serena nam afscheid van haar broer en legde de telefoon terug op het bureau van haar vader. Ze keek naar de kast en vroeg zich terloops af of haar ouders als verrassing een verjaarscadeau voor haar in het appartement hadden verstopt.

Zijn verrassingen niet altijd het leukste?

Blair geeuwde – het soort diepe geeuw die je door je hele lichaam voelt – en probeerde met Serena's borstel haar haar een beetje te fatsoeneren. Ze was nooit een van die duizendborstelstreken-voor-je-gaat-slapen-types geweest maar toch, dit kon geen kwaad. Het was pas acht uur in de ochtend en de zon stroomde binnen door het raam, maar het leek jaren, en geen uren, geleden dat ze een hele nacht slaap had gehad.

'Ik kan niet geloven dat ik zo moe ben.' Serena liet zich op haar buik vallen op de grote oppervlakte van haar bed, armen en benen uitgestrekt.

'Ja.' Nate aarzelde aan het voeteneinde van het bed, keek naar Blair die voor de spiegel stond en toen naar Serena, die op haar buik voor hem lag.

'Ik ben kapot.' Serena maakte de knopen van haar jeans los en wurmde zich eruit zonder op te staan. 'Ik kan niet eens onder de dekens kruipen.'

Blair keek naar Serena's lange, slanke benen en toen naar Nate, die naar dezelfde benen stond te kijken. Ze voelde een bekende steek van jaloezie in haar maag. Zolang als ze Serena kende, had ze van haar gehouden en was ze jaloers op haar geweest. En ze kende haar al zo'n beetje haar hele leven. Maar dingen waren anders geworden. Het jaar was tot nu toe vol ups en downs geweest, maar nu was het eindelijk zomer. Samen gingen ze in de herfst naar Yale University en ze hadden de rest van hun leven als beste vriendinnen voor zich. En Nate was er, hier, nu, recht voor haar.

Blair trok haar geleende zachtroze polo van Lacoste over haar hoofd en maakte met beide handen haar beha los. Ze liet hem gemakzuchtig op de grond vallen. 'Nate, mag ik in jouw T-shirtje slapen?' vroeg ze verlegen.

'Tuurlijk.' Nate knikte gretig en probeerde weg te kijken. Hij trok zijn katoenen T-shirt uit en gooide het naar haar toe.

Ze trok het over haar hoofd, wachtte even in de duisternis aan de binnenkant om zijn bedwelmende geur in te ademen: zijn oksels en het wasmiddel van zijn ondergoed, een vleug hasjrook en tandpasta.

Om op te vreten.

Tegen de tijd dat ze het nog warme T-shirt over haar hoofd had getrokken had Nate zich uit zijn kakibroek gewerkt en lag uitgestrekt op het bed naast Serena. Hij had een boxer aan die met palmbomen bedrukt was en waarvan Blair vrij zeker was dat het een cadeautje van haar was geweest.

Ze knipte het grote licht in de kamer uit. De zomerzon

stroomde door het raam naar binnen en verlichtte de lichamen van haar vrienden. Ze liep naar het voeteneinde van het bed, kroop voorzichtig tussen Serena, die al met lange, diepe zuchten als een baby sliep, en een bijna naakte Nate in.

'Welterusten,' fluisterde Nate.

'Trusten,' herhaalde ze zachtjes. Blair hoorde haar hart in haar oren kloppen en was opeens klaarwakker. Ze keek naar het kostbare plafond dat versierd was met panelen vol bloemen en mooie rondingen, terwijl ze luisterde naar het lichte snurken van haar beste vriendin en probeerde de zachte huid van haar beste vriend niet te voelen. Nate – de enige jongen van wie ze ooit echt gehouden had – en wiens arm de hare heel zachtjes streelde. Hoe kon ze *ooit* in slaap vallen?

Toen voelde ze vingers langs haar arm, zo licht dat het kriebelde. Nates hand gleed over haar pols, streelde de palm van haar hand en kneep er zachtjes in.

Ze slaakte een diepe zucht en kreeg het gevoel dat ze iets uitademde waarvan ze niet eens wist dat het in haar zat. De frustratie, de jaloezie, de zorg over wat er nu zou gebeuren. Ze draaide zich om om hem aan te kijken, maar zijn ogen waren dicht en even later vielen de hare ook dicht. En zo sliepen ze de hele dag door en de nacht die daarop volgde.

▷ gossipgirl.nl

topics | ◂ vorige | ▸ volgende | stel een vraag | reageer

Disclaimer: alle namen van plaatsen, mensen en gelegenheden zijn veranderd of afgekort om de onschuldigen te beschermen. Mij, vooral.

ha mensen!

Weet je, ik heb altijd een beetje medelijden gehad met kinderen die in de zomer jarig zijn. Ze hebben nooit ijsfeestjes kunnen geven in een dure ijssalon, omdat al hun vrienden en vriendinnen naar zomerkamp waren of hun tijd uitzaten in Amagansett. Ze hebben nooit kunnen trakteren op boterkoek, geglazuurd met pastelkleurige boter, voor de hele klas. Ze hebben nooit zo'n inhalige high tea kunnen geven bij de Plaza met al hun beste vriendinnen. En dat allemaal omdat ze toevallig in de drie maanden van het jaar geboren zijn waarin iemand het liefst alleen maar aan zichzelf denkt. We *willen* niet zo egoïstisch zijn, maar het zit... in de lucht. Maar dat betekent niet dat we ons daar niet rot om voelen. Zeker wel. Dus hier een paar tips voor jou, jarige...

De drie beste manieren om te zeggen: *Het spijt me dat ik je verjaardag gemist heb. Ik zat namelijk te zoenen met het ongelooflijk lekkere ding dat ik voor de zomer gevonden heb:*

1. Neem haar mee naar Barneys en laat haar je creditcard zoveel minuten gebruiken als ze jaren oud is geworden. Als je moeder de afrekening krijgt, wegwezen! Daar heb je vrienden voor.

2. Verontschuldig je voor het feit dat je meer belangstelling hebt voor je zomerromance dan voor haar verjaardagsrite, en nodig haar uit voor een *double date* met jou en je nieuwe vlam met zijn enigszins schele, jongere broer die bijna net zo leuk is als hij.

3. Het is zomer, denk erom, dus is het onderhouden van je hele lichaam belangrijker dan anders. Ga je te buiten en geef de jarige een verwendag in een of ander luxe oord (en niet zo'n stom cadeau-van-tante-Susie: een combinatie mani-pedi, hou op, zeg!) zodat je jarige vriendin er even bruin, haarloos en verzorgd uitziet als jij.

Jullie e-mail

Beste GG,
Ik ben bang dat ik misschien homo word. Weet jij of er tekens zijn die je waarschuwen?
– Blue Boy

Lieve BB,
Genoeg waarschuwingstekens:

1. Je noemt dingen 'fááábelachtig' of 'geniááál' en hebt in de afgelopen vierentwintig uur zeker één keer het woord 'chic' gebruikt.
2. Je beste vriendin is een forse meid met belangstelling voor theater.
3. Het nummer waarmee je mobiel zich meldt is er een van Gwen Stefani.
4. Als het warm wordt, kijk je liever naar de skatejongens met hun blote bovenlijf dan naar de zonnebaadsters in Sheep Meadow.
5. Je schrijft naar een wijs persoon omdat je wilt dat zij het nieuws vertelt dat je al weet, maar niet kan toegeven: je bent homo. Dat is oké!

Hou van het leven. Hou van jongens. Hou van jezelf.
– GG

Lieve GG,
Dit is een aankondiging: ik ben van plan een knalfeest te geven in ons buitenhuis, omdat mijn zusje achttien wordt. Dus als je misschien in Connecticut bent, of van plan bent een reisje te maken, kom je oude vrienden opzoeken die de zomer doorbrengen in deze fantastische staat. Als ik een van hen ben, sta je zeker op de gastenlijst.
– Pool Party in Connecticut

Beste PP in C,
Connecticut ligt iets buiten mijn normale feestgebied, maar ik neem aan dat de reis erheen al fantastisch is. Tenslotte is het reizen per auto een geweldige Amerikaanse traditie: de wind in je haar, de warme zon op de weg, de vrijheid om te gaan in welke richting je maar kiest – gevoelens die zeer gedenkwaardig zijn vastgelegd door Jack Kerouac in *On the Road.* Hoewel, alles wat ik me eerlijk gezegd van dat boek kan herinneren, zijn een heleboel drugs en heel veel toevalligheden. Ik heb het over het volgen van de gele stenen weg! Maar als jouw knalfeest zo groot wordt als je belooft, wil ik dolgraag je Smaragden Stad zien. Klonk dat net zo obsceen als ik dacht? Oeps. Hoe dan ook, beschouw het feest als aangekondigd!
– GG

Beste GG,
Ik voel me ellendig, omdat mijn ouders zeggen dat ik deze zomer een baan moet zoeken. Maar toen ik erover zat na te denken, besefte ik dat werken niet zo waardeloos hoeft te zijn – *jij* hebt ten slotte een supergave baan. Dus vroeg ik me af of je inwonende assistenten aanneemt?
– Neem Me Alsjeblieft In Dienst!

Beste NMAID,
Bedankt voor de vleierij en inderdaad heb je gelijk – dit is een supercoole baan. Hoewel ik moet zeggen dat ik het niet zie als een gewone baan, maar meer als werken voor de overheid. Zoiets als een superheld zijn: Bat Girl, Super Girl, Gossip Girl... Snap je? Jammer genoeg is er maar ruimte voor één Gossip Girl in dit iBoek. Succes met het vinden van een stage ergens anders! Ik heb gehoord dat *Vogue* conciërges zoekt... Grapje!
– GG

REKENINGEN, REKENINGEN, REKENINGEN

Die laatste e-mail zette me aan het denken. Voor een ongelukkig groepje onder jullie is de term 'zomerbaantje' niet alleen maar een verschijnsel dat je in films ziet, maar een dagelijkse werkelijkheid. Mijn hart gaat naar jullie uit, ik meen het. Maar het is niet *helemaal* verkeerd. Hieronder een paar positieve punten om te onthouden als je de prikklok gebruikt.

De beste manier om mensen te ontmoeten is op je werk, of het nu een leuke medewerker of een leuke klant is. (Weet iemand nog hoe ***D*** voor het eerst het yogameisje tegenkwam? Ik zal je vertellen dat dat niet gebeurde toen hij een macrameeklas binnenstapte...)

Wat is een betere manier om de waarde te leren kennen van een dag hard werken en de voldoening te voelen van je eigen geld te verdienen? Ha! Worden die leugens nog steeds verteld?

Ik heb gehoord dat hard werken een ton aan calorieën verbrandt. Dus, NMAID, kin omhoog en blijf ploeteren! Dat is alles voor nu, lieverds. Deze kleine werkbij moet haar make-up herstellen, de batterij van haar laptop opladen en pakken voor een kleine autoreis...

Je weet dat je van me houdt,

gossip girl

d, warm en opnieuw bezorgd

'Davey, Humphrey, Bogart, of hoe je naam is, schiet op!'

Alle managers bij de Strand hadden dezelfde autoritaire blaffende toon, waardoor Dan altijd iets meer zijn rug rechtte. Hij keek naar links en naar rechts, maar wist niet waar het bevel vandaan was gekomen.

'Wacht u op een gegraveerde uitnodiging, mevrouw?' Phil, een kalende, gesjeesde doctor in de filosofie die er dol op was om de middagdienst tot een hel te maken, stak zijn hoofd om een roestige metalen boekenplank.

'Hufter,' mopperde Dan, terwijl hij de kar voortduwde met boeken die op de planken gezet moesten worden.

Overgevoelig?

De rubber wielen van de kar piepten en kraakten terwijl Dan de kar door de lange, smalle gang duwde, langs de verouderde reisgidsen. Hij haalde diep adem en liet zich onderdompelen in het bekende ritme van het pakken van een boek, de achternaam van de schrijver lezen en de plek op de plank bepalen. Het was een zekere manier om zijn onderbewustzijn aan het woord te laten:

Hairy kiss – burn my chin
The sick taste of absinthe in my throat
Deep in my gullet; sore lips and
Punches in the gut
Blind corners turned and now I am nowhere...

Hij stopte even met zijn poëtische probeersels, toen een groot formaat boek van zijn kar gleed. Hij bukte zich om het op te rapen en las de titel: *Alles Wat Je Altijd Hebt Willen Weten (Ga Je Gang, Geef Het Maar Toe!) Over Homoseks* door Melvin Lloyd en Dr. Stephen Furman.

De pentekening op de glanzende omslag liet twee mannelijke gestalten zien die elkaar ingetogen omhelsden. Als broers of als honkbalspelers na een wedstrijd. Volkomen normaal. Hij keek om zich heen of er iemand in de buurt was – meestal was niemand geïnteresseerd in de reisgidsen naar Nieuw-Zeeland die al in de jaren zeventig van de vorige eeuw waren uitgebracht – en toen sloeg Dan het boek nonchalant fluitend open.

De gladde pagina's gleden door zijn vingers. Hij zag meer pentekeningen van twee gespierde mannen in allerlei omhelzingen, waarbij armen en tongen op allerlei plaatsen gebruikt werden. Er waren tips en lijsten van wat je wel of niet behoorde te doen. Met bonzend hart keek hij het boek vluchtig door, waarbij tekstfragmenten hem bijbleven als: 'Breng je tong naar binnen,' en: 'Sommige partners vinden het gebruiken van een elleboog handig,' en: 'Denk erom je tanden te poetsen.'

Hij gluurde weer even om zich heen om zeker te weten dat hij alleen was, en keek toen achter in het boek, waar het dikkere papier maar één ding kon betekenen: foto's. En daar waren ze, in kleur en volle glorie; twee mannen die iets deden wat op het eerste gezicht een gymnastiekoefening leek. Dan kreeg een droge keel. Hij sloeg het boek dicht en stopte het onder een van de stapels boeken op de kar. Hij had nog nooit in zijn leven zo naar een sigaret gesnakt.

Ademhalen, ademhalen.

Een beetje trillend inhaleerde Dan diep een geliefde Camel en liep de deur van de boekwinkel uit. Hij moest even naar buiten om die beelden in zijn hoofd kwijt te raken. Beelden van die twee mannen – die er met hun dikke nek uitzagen als worstelaars – in onvoorstelbare houdingen. Hij had natuurlijk geen problemen met homoseksuele mensen. *They're here, they're queer, it's awesome.* Maar er waren dingen die mensen gewoon niet moesten doen met hun lichaam. Zoals rennen. En yoga. En... hoe je het ook noemde, wat hij net in het boek had gezien.

Yoga. Hij was er even mee bezig geweest – dat was het dichtst dat hij gekomen was bij het verdraaien van zijn lijf in vormen die leken op wat de jongens in het boek deden, en hij was er niet op gebrand om binnenkort weer in zo'n positie te raken. De enige reden dat hij yoga had geprobeerd was trouwens voor een meisje geweest. Hij was zo gek op Bree dat hij geëxperimenteerd had met allerlei krankzinnige dingen: yoga, rennen, sap drinken van biologisch gekweekt fruit. Misschien gebeurde zoiets dergelijks wel met Greg? Hij had nog nooit iemand ontmoet die zo van boeken hield als Greg. Misschien haalde hij alles door elkaar? Misschien was het net als zijn vader had gezegd en had hij alleen maar zijn passie voor boeken verplaatst naar passie voor hun vriendschap?

Ja! Zo quasi-homovader, zo quasi-homozoon.

Dan ontweek de drukte van zomertoeristen op het trottoir, trapte zijn sigaret uit en stak zijn handen diep in de zakken van zijn gerafelde bruine ribbroek. *Het kan niet dat je homo bent.* Het beeld van Bree, bloot en glanzend van het zweet in die oververhitte yogastudio, schoot hem te binnen en opeens voelde hij zich een beetje buiten adem, een beetje duizelig. Wat was dit voor een gevoel? Het voelde bekend en tegelijk heel vreemd. En hij voelde ook iets anders – een stijve. Bij daglicht, als een kleine jongen. Hij keek erop neer en moest even lachen. Het was de beste erectie die hij ooit had gehad! De gedachte aan Bree, haar blote huid vochtig van het zweet, terwijl ze haar rug boog en met haar handpalmen de grond raakte, had zijn hart op hol gebracht.

Hij stak nog een sigaret op om het feit te vieren dat hij biologisch bewijs had dat hij, Dan Humphrey, zeker geen homo was. Hij moest zich inhouden om geen luchtsprong te maken en zijn hakken tegen elkaar te klikken.

O. En *dat* is helemaal niet homoachtig.

de geest van de middelbare school voorbij

'Meisjes! Er zijn meisjes hier!' riep een jongen die Serena niet herkende. Hij kwam met onzekere stappen de stenen treden van de trap af die van de voordeur naar de oprit leidde. In zijn hand hield hij een van haar moeders antieke kristallen champagneglazen geklemd. Hij hief het glas als groet toen ze uit de Aston Martin stapte en morste zo dat er een plasje op de stenen trappen lag en het glas bijna leeg was.

'Dat is mijn zusje, man!' Erik van der Woodsen duwde de wankelende jongen opzij en rende Serena tegemoet. Hij had een gekreukt blauw poloshirt aan, waarvan de bovenste drie knoopjes open waren, en een kaki broek die aan de omslagen begon te rafelen. Zijn lichtblonde haar was een warboel en zijn grote blauwe ogen waren bloeddoorlopen, maar hij was als altijd een mooie jongen. 'Hoe gaat-ie, zus?'

'Het feest is al begonnen, zie ik.' Serena knuffelde haar broer enthousiast. 'Voor het geval je het vergeten bent, ik ben morgen pas jarig.'

'Je wordt maar één keer achttien.' Hij sloeg zijn armen om haar heen en tilde haar op. 'Gefeliciteerd bijna-jarige.'

'Is dit allemaal voor mij?' vroeg Serena, terwijl een glimlach zich over haar gezicht verspreidde. Oké, het was niet *precies* haar idee van een verjaardagsfeestje, maar het was lief dat haar broer eraan had gedacht, zelfs al was het waarschijnlijk alleen maar een gemakkelijk excuus voor een knalfeest.

Waarschijnlijk?

Achter haar kropen Blair en Nate van de achterbank en stapten uit. Serena had aangeboden om te rijden. Ze wist het beste de weg en Blair kon niet in een handgeschakelde auto rijden. Maar moesten die twee dan straks *weer* samen op de achterbank zitten? Wat was ze, de chauffeur?

Het lijkt er wel op.

'Hoe gaat-ie, mensen?' begroette Erik hen.

'Hoi.' Nate knikte naar Erik. 'Goed, dat telefoontje over het feest.' Hij draaide zich om naar Serena en voegde eraan toe: 'Ik was het bijna vergeten dat je morgen jarig bent.'

Blair pakte de hand van haar beste vriendin. 'Wat is een geschikt drankje voor de middag, nu je bijna jarig bent?'

Bestaat er een dat *niet* geschikt is?

Het gedoe bij het zwembad leek op iets uit zo'n achterlijke komedie op school. Een stel lawaaierige, blijkbaar dronken jongens in surfbroeken schoten als kanonskogels het water in, waarbij ze de mensen op de rand van het bad kletsnat spatten. Een groep hing rond bij de hoge, openslaande deuren die toegang gaven tot de bibliotheek, de goed voorziene bar en daarachter de kamer. Er waren niet zoveel meisjes. Een paar lagen op stretchers bij de duikplank en een groepje van drie giechelende meiden probeerde een of ander drinkspelletje uit – maar waar meisjes waren, was ook een groep kwijlende jongens te vinden. Iemand had een iPod verbonden met de stereo-installatie van de Van der Woodsens, en de indringende dreun van de nieuwe cd van de Arctic Monkeys vulde de ruimte.

'Ik begin eindelijk het gevoel te krijgen dat de zomervakantie is begonnen.' Blair glipte uit haar witleren teenslippers van Prada en legde ze onder de smeedijzeren tuintafel. Een beetje afwezig liet ze het ijs in haar bloody mary ronddraaien.

'Ja, ik ook.' Serena leunde naar achteren in de ongemakkelijke stoel waarin ze zich had laten zakken, en overzag de groep die zich hier schijnbaar had verzameld om haar verjaardag te vieren. Er was één meisje op ongeveer tien miljoen jongens, en hoewel ze wel een paar jongens herkende – Eriks oude vrienden uit zijn tennisteam, zijn kamergenoot op Brown – zag ze verder niet veel bekende gezichten. Ze was dan wel de aanstaande jarige, maar ze vroeg zich af of iemand eigenlijk wist wie ze was.

Het is haar feestje en ze mag mokken als ze dat wil.

'Shit.' Blair leunde met haar hoofd naar achteren en dronk haar glas leeg. 'Ik geloof dat ik dorst had. Wil jij er nog een?'

Serena schudde haar hoofd en morste bijna haar nog niet aangeraakte cocktail. 'Dank je.'

'Ik ben zo terug.'

Serena keek toe vanachter haar Selima Aviators zonnebril, terwijl Blair uit haar stoel opsprong en naar de bar liep. Erik was de baas over de flessen drank die als speelgoedsoldaten in een rij stonden op de smaakvol bewerkte mahoniehouten bar. Nate hing rond aan de rand van de groep. Hij had zijn handen diep in de zakken van zijn versleten kaki shorts gestoken. Serena keek naar hem en zag dat hij deed of hij niet zag dat Blair zich door de groep naar hem toe werkte.

Interessant.

Ze was die ochtend wakker geworden van het gegiechel van Blair, maar toen ze gevraagd had wat er zo leuk was, had Blair diep gezucht en zei: 'Het is Natie.' *Natie?* In de auto had ze af en toe in de achteruitkijkspiegel gekeken, maar elke keer dat ze keek, had Blair alleen maar naar buiten zitten staren en zat Nate met zijn ogen dicht. Niets aan de hand. Maar waarom voelde ze zich dan zo... vreemd?

Ze nam een slokje van de wrange cocktail en herkende eindelijk iemand in de groep: een jongen met een brede borst en krullend bruin haar zat op de rand van het zwembad en liet zijn voeten in het water bengelen. Zijn bruine ogen vonkten op een bekende manier, terwijl hij om zich heen keek. Hij trommelde met lange, smalle vingers op zijn bierflesje. De vage glimlach speelde om zijn volle lippen en Serena wist dat zich achter die lippen twee rijen schitterend witte tanden verborgen. Ze kon zijn glimlach uittekenen. Ze hoorde bijna het aarzelende geluid van zijn stem terwijl hij de woorden fluisterde waar zij voor was weggerend. Dat was de laatste keer dat ze hem had gezien, precies een jaar geleden.

Henry was de bassist in Hanover's Jazz Band. Hij was groot en leuk om te zien met zijn donkere krullen die tot bijna in zijn ogen vielen en zijn speelse glimlach. Serena's kamer had recht onder de zijne gelegen en 's avonds gooide ze haar studieboeken tegen het plafond, wachtend tot hij iets lawaaierigs en zwaars op de grond zou gooien als antwoord. Soms – eigenlijk best vaak – hadden ze op het dak gezeten en whisky gedronken en sigaren gerookt. Ze waren goede vrienden geweest. En toen het schooljaar voorbij was, waren ze samen in Ridgefield beland. Zijn familie woonde daar het hele jaar door en die van haar alleen in de zomer. De avond vóór haar zeventiende verjaardag waren Henry en zij lang opgebleven, hadden gedronken en gepraat en waren op hun rug op de tennisbaan beland waar ze wachtten op vallende sterren en uiteindelijk met elkaar zoenden. Toen had Henry het gezegd: 'Ik ben verliefd op je.' In plaats van hetzelfde terug te zeggen was Serena het huis in gerend en had een vlucht naar Parijs geboekt om haar broer Erik op zijn reizen te vergezellen. Ze had Henry nooit meer gesproken. Het was niet zo dat ze hem niet leuk vond. Want dat was, eerlijk gezegd, wel het geval. Maar de liefde was niet mis te verstaan en in die tijd was er maar één jongen van wie ze echt kon houden. Toen, en misschien nu ook...

Serena nam een slok uit haar glas. Haar handen trilden. *Op de avond voor je achttiende verjaardag instorten? Laat dat maar aan mij over,* dacht ze.

'Hé. Herinner je je mij nog?'

Henry's stem liet haar even schrikken. 'Ik zat me al af te vragen wanneer je me zou komen begroeten.' Ze trok haar knieën op tegen haar borst en glimlachte tegen hem.

'Dat zou ik ook kunnen zeggen.' De poten van de ligstoel schraapten lawaaierig over het beton toen hij hem uitzette en erin ging zitten. 'Je ziet er geweldig uit.'

'Dank je.' Ze glimlachte verlegen en nam weer een slok uit haar glas. Ze zocht nerveus naar sigaretten, die op de tafel lagen bij de standaard van de grote parasol.

Haar Gauloise trilde in haar handen toen Henry haar vuur gaf en hij vervolgens zelf een sigaret pakte uit het pakje. Serena blies een lange rookpluim uit die in de wind wegdanste.

'Wat is er eigenlijk met je gebeurd?' Henry glimlachte nadenkend en bestudeerde Serena's gezicht. 'Ik bedoel... je ging gewoon *weg*.'

Serena keek naar de groep mensen aan de overkant van het zwembad.

'Ik heb je een paar keer een mailtje gestuurd,' ging Henry verder. 'Ik heb nooit iets van je gehoord en toen ik het nog eens probeerde kreeg ik het terug.'

'Ik had gewoon wat tijd nodig om dingen op een rij te krijgen en daarom ben ik teruggegaan naar de City.' Ze trok een streng haar achter haar oor vandaan en speelde er afwezig mee, terwijl ze treurig glimlachte. 'Het is een lang verhaal.' Een verhaal dat zelfs zij niet begreep en dat ze nooit aan iemand verteld had.

Is dat zo?

Serena staarde over Henry's schouder naar de feestvierders; sommigen lagen half naakt van de zon te genieten, anderen dansten, al was het niet op het ritme van de muziek. En dan was daar Blair die weer een bloody mary zat te drinken en verlegen tegen Nate glimlachte. Nate dronk een biertje en zat stom te grijnzen. Serena keek Henry weer aan. Het leek even of de tijd vanaf haar zeventiende verjaardag had stilgestaan: Blair en Nate zich totaal niet bewust van haar, en Henry die haar toegewijd zat aan te kijken van de andere kant van de tafel. Alsof er niets was veranderd.

'Dit is mijn verjaarspartijtje, weet je,' zei ze ten slotte.

'Dacht je dat ik dat niet wist?' Henry reikte over de tafel en pakte haar hand met zijn enigszins eeltige vingers van de muzikant. 'Daarom ben ik gekomen. We kennen elkaar vandaag een jaar.'

Serena slikte.

Hartelijk gefeliciteerd!

achter de schermen

'We zijn nu in het vogelhuis.' Vanessa moest bijna schreeuwen om zich verstaanbaar te maken boven het getjilp, gekraai, gefluit en geschreeuw uit, van de mooie, felgekleurde vogels die rondvlogen in de reusachtige, glazen kooi. Vanessa hield haar camera onbeweeglijk vast en draaide zich om. Ze wilde een compleet beeld van 360 graden krijgen van de grote, met planten gevulde ruimte. Vogels in allerlei kleuren, van eierdooiergeel tot zacht blauw of tomatensaprood fladderden gekortwiekt rond en zweefden van tak naar tak in een zielige poging te vliegen. Maar dat zouden ze nooit meer kunnen.

'Ik heb gehoord dat Bailey Winter hier de meeste eerste schetsen maakt,' ging Vanessa verder. 'Degenen die zijn werk goed kennen, zouden de kleuren van zijn jongste couturecollectie kunnen herkennen.' Ze richtte de camera op een vogeltje dat zat te tjilpen in de takken van een bananenplant in een pot.

De foto zag er zo levendig uit – de kleurige vogels die het hele vogelhuis door zweefden, draaiden en fladderden, terwijl de zon in dikke stralen naar binnen scheen. De compositie was vlekkeloos, symmetrisch, maar nog steeds dynamisch. Ze begon in haar hoofd een hele serie documentaires te plannen over de creatieve processen van verschillende kunstenaars. Misschien zou ze er een maken over Dan en het echte schrijversleven. En een over Ken Mogul om uit te zoeken hoe het was om een wereldberoemde filmmaker te zijn.

En een héél vreemde snuiter.

De rotantafel waarop een glazen plaat lag vol met vellen

papier waarop van alles was geschreven, potloden en half leeggedronken Martiniglazen. Vanessa liep naar de werktafel en richtte haar camera op een paar niet-afgemaakte schetsen.

'Over een paar maanden zijn deze potloodschetsen veranderd in chiffon en zijde.' Met veel moeite probeerde Vanessa zich de namen te herinneren van stoffen die ze Blair had horen noemen in de korte tijd dat ze elkaars kamergenoten waren geweest. 'Denk je even in: nu zijn deze ideeën niet meer dan krabbels op een vel papier, maar binnenkort lopen ze – met iemand erin uiteraard – over de rode loper bij de uitreiking van de Oscars.'

Vanessa probeerde de dunne lijntekeningen duidelijker in beeld te krijgen.

'En zo zien we nu zelfs hoe het creatieve proces van ontwerper Bailey Winter werkt. Het begint met iets simpels als de kleur van vogelveren. Na een paar schetsen en een paar Martini's...' Haar stem stierf weg, omdat ze echt geen idee had hoe ze mode moest beschrijven. Ze wist evenmin of chiffon echt de naam van een stof was. Misschien was het wel een toetje? 'Het enige wat ik niet kan laten zien is dat, wat alleen maar bestaat in het hoofd van de ontwerper. Dat is het echte creatieve proces.' *Of het echte dronken proces...* Ze draaide de camera naar de rijen nog niet helemaal lege wijnglazen.

'O. Mijn. God.'

Vanessa draaide zich om en hield de camera instinctief achter haar rug.

Oeps.

'*Wat* doe jij hier?' Bailey gooide de glazen deur achter zich dicht, zodat geen van zijn kostbare vogels kon ontsnappen naar de tuin. 'Vanessa, Vanessa,' kakelde hij en hij klonk echt als een kip. 'Het vogelhuis is streng verboden terrein. Hier kom ik om na te denken en geïnspireerd te worden. Jij verstoort de balans van creatieve energie alleen al door hier te *zijn*!'

Natuurlijk! De energiebalans!

'Alsjeblieft, lieverd, ga een beetje naar achteren. *Niet* naar de schetsen kijken. Niemand mag ze zien tot ik klaar ben met de eerste serie.'

'Sorry.' Vanessa deed onhandig een paar stappen naar achteren en probeerde berouwvol te kijken. Hevig krijsend vloog een zeegroen gespikkelde parkiet langs haar oor. 'Ik probeerde me hier een beetje thuis te gaan voelen. Je weet wel, zoals jij had voorgesteld.'

'Nou, je kunt een goede gast zijn, maar je kunt je ook ergens gewoon binnendringen.' Bailey fronste zijn wenkbrauwen, greep de schetsen van de tafel, maakte er een stapeltje van en drukte ze tegen zijn borst. Zo kon Vanessa ze niet zien. 'Je mag hier overal heen, waar je maar wilt, *behalve* naar het vogelhuis. Dit is mijn heiligdom, lieverd. Ik ben geestelijk naakt als ik door die deuren stap.'

Nou, zolang hij *letterlijk* maar zijn kleren aanhoudt...

'Ik zal voortaan voorzichtiger zijn,' beloofde Vanessa, terwijl ze langzaam achteruit liep, de camera nog steeds onzichtbaar achter haar rug.

'Ja, ja, dat weet ik,' antwoordde Bailey, terwijl hij zijn schetsen teruglegde op de tafel, maar er beschermend zijn mollige armen boven hield. 'Het is je vergeven.'

'Oké, dan ga ik maar.' Vanessa draaide zich vlug om en nam de benen naar de deur.

'Néééé, hè?' Baileys kreet maakte de vogels helemaal gek. Ze zwermden op naar de veiligheid, vlogen naar het plafond, althans zo ver als hun gekortwiekte vleugels hen brachten.

'Ja?' vroeg Vanessa. Ze probeerde de camera met haar handen te bedekken.

'I-I-Is dat een... *filmcamera?*'

Briljante waarneming.

'Bailey, mag ik het uitleggen?' Vanessa voelde dat ze een

kleur kreeg. 'Ik hoopte, ik bedoel, ik was alleen maar geïnteresseerd, ik wilde het zo graag, weet je, ik wilde het creatieve proces vastleggen, zoals de ideeën erachter, en wat precies... ik bedoel, het hele verhaal van...'

Bailey was gaan zitten, maar nu sprong hij op uit zijn stoel en stond trillend tegenover Vanessa. Hij staarde haar strak aan. 'Vertel me. Ik moet het weten... Heb je... nee, niet waar. Ik bedoel, je hebt hier toch niet *gefilmd*, of wel?'

'Eh... nee?'

Gered.

'Deze schetsen zijn strikt geheim! Jeetje, lieve help. Weet je wat er zou gebeuren als ze bekend werden? Weet je dat er mensen zijn die zouden betalen... tja, ik weet niet hoeveel, maar ze hebben er graag geld voor over om een glimp op te vangen, een *hint* van wat ik van plan ben voor de komende seizoenen. Ik kan de concurrentie niet riskeren.' Hij zag eruit of hij op het punt stond flauw te vallen. 'O, mijn...'

'Bailey, ik zweer je dat ik niet van plan was je geheimen te verkopen of wat dan ook. Ik ben alleen een filmmaker, en ik dacht dat dit een fantastisch onderwerp zou zijn voor een documentaire.' Vanessa glimlachte hoopvol tegen hem. Een citroenkleurige ara landde op zijn schouder en hij sloeg hem weg. 'Misschien is het beter dat ik wegga...' stelde Vanessa voor, opeens bang dat Bailey de film zou opeisen die ze de afgelopen dagen had gemaakt.

'Ja, ga maar naar je kamer.' Bailey zag eruit of hij zo in tranen kon uitbarsten. 'Ik heb tijd nodig om mijn gedachten te ordenen. We zullen bij het avondeten bespreken wat we hieraan moeten doen.'

'Goed.' Vanessa fronste haar wenkbrauwen. Stuurde hij haar *werkelijk* naar haar kamer? Dat was haar... nog nooit eerder overkomen. Niemand had ooit Vanessa Abrams naar haar kamer gestuurd! Ze zou heus wel naar haar kamer gaan; ja, ze zou naar haar kamer gaan en haar koffer pakken. Documentaire of niet, ze had voor haar leven genoeg van de Hamptons en van Baileys idiote gedrag. En wat het avondeten betrof, nou, als alles goed ging zou ze tegen die tijd veilig in een trein zitten, terug naar de City en naar de enige plek waar ze zich nog thuis voelde: het appartement van Dan Humphrey.

Dans haard is goud waard!

die vier kleine woorden

'Wil je er nog een?'

Blair schudde haar hoofd en wees naar haar oren om aan te geven dat ze Nate niet goed hoorde over het lawaai van het feest heen, dat aanzienlijk levendiger was geworden naarmate de dag vorderde. De middagzon stond nog steeds hoog aan de hemel, maar de feestvierders waren warm en dronken en ze hadden honger. Erik had de enorme gasgrill aangestoken en een paar gasten die nog nuchter genoeg waren om te rijden weggestuurd naar de slager. De duidelijk zomerse geur van barbecue hing in de lucht en maakte Blair duizelig.

Of waren het misschien de vier bloody mary's?

Nate boog zich naar haar toe en fluisterde in haar oor: 'Ik haal nog een drankje en ik vroeg of jij er ook nog een wilde?'

Zijn hete adem kriebelde in haar hals en ze deed haar ogen dicht, omdat alles begon te draaien. 'Ik neem een glas water.'

'Rustig.' Nate pakte haar bij haar arm, nam haar mee de bibliotheek in en zette haar op de versleten bruine, suède bank voor hij naar de bar ging voor een drankje.

Blair geeuwde. Lange autoritten maakten haar altijd slaperig. En de afgelopen nacht was niet erg rustig geweest, al hadden ze in feite vierentwintig uur geslapen. Hoe kon ze slapen met Nate die ze de hele nacht naast zich hoorde ademen? Elke keer dat ze zich had willen omdraaien of haar kussens opschudden, kon ze het niet, niet als het betekende dat ze Nates hand moest loslaten. Ze deed haar ogen dicht en dacht erover na.

'Hoi, schone slaapster.' Blair voelde een paar zachte lippen die haar voorhoofd streelden. Ze glimlachte en hield haar ogen stijf dicht. Ze wilde dat het eeuwig zou duren, die lippen op haar gezicht. Maar toen ze eindelijk haar zware oogleden opendeed, verslikte ze zich bijna. De lippen waren niet van Nate, maar van Erik van der Woodsen. Zijn grijnzende gezicht zweefde boven haar. Een knappe prins, maar niet de *juiste* knappe prins.

Te veel prinsen, te weinig tijd...

'Hoi, Erik.' Blair pakte een los kussen en drukte dat tegen haar borst. Hij leek zoveel op Serena, maar dan in de jongensuitgave. Van zijn blonde haar tot zijn gemakkelijke alles-is-goed-met-de-wereld-houding, tot de manier waarop hij zijn brede schouders – gebruind door het tennissen – hield, tot de rare rimpeltjes die zich in de hoeken van zijn donkerblauwe ogen vormden als hij glimlachte. Het leek een miljoen jaar geleden dat ze iets met elkaar hadden gehad, zo'n beetje.

Been there, done that.

Erik plofte naast haar neer en legde zijn arm op de rugleuning van de bank. Hij zuchtte diep. 'Dit feest is zo uit de hand gelopen dat ik niet de kans heb gekregen met iemand te praten.'

'Een teken dat het een goed feest is,' zei Blair slaperig. Ze keek om zich heen, op zoek naar Nate, maar hij was verdwenen tussen de gasten bij de bar.

'Meisje, ik eh... hebjouniet eh... meer gezien sinds, wat, wassat die keer in Sun Valley?' Blair merkte dat Eriks woorden in elkaar begonnen over te vloeien. Hij was verder heen dat zij.

'Dat denk ik wel,' antwoordde Blair afwezig, hoewel ze elkaar in het voorbijgaan hadden gezien toen Serena en zij een paar weken daarvoor eindexamen deden op Constance Billard. Ze vond het niet de moeite waard om dat nu te zeggen – in feite bedacht ze alleen maar een manier om een einde te maken aan dit gesprek, in plaats van ermee door te gaan.

Tss, de tijden zijn wel veranderd.

'Je ziet er zo mooi uit.' Hij streelde Blairs haar met zijn gebruinde hand en grijnsde tegen haar met een veelbetekenende, maar ook dronken blik in zijn ogen.

'Hier is je water.' Nate leek opeens uit het niets op te duiken en gaf haar een ijskoude fles Pellegrino.

Blair ging iets meer rechtop zitten. Haar ridder in glanzende wapenrusting. Of verschoten kaki.

'Hoewisie, Nate?' vroeg Erik. Hij leunde tegen Blair aan. 'Amuseer jejenbeetje?'

'Ja, hoor,' zei Nate. 'Maar ik denk dat iedereen honger krijgt. Die jongens zijn terug van de winkel, maar ze weten niet hoe ze de grill hoger kunnen draaien.'

'Ik ben Hoofd Grill, man.' Gapend stond Erik op en rekte zich uit. 'Blair, ik zie je straks?' Hij gaf Nate een klap op zijn schouder en verdween naar buiten, tussen de gasten.

'Bedankt hiervoor.' Blair dronk gretig van het koude water.

Nate grijnsde. 'Hij is dronken. Het zag ernaar uit dat je gered moest worden.'

Zul jij altijd degene zijn die me redt?

Ze zei het bijna hardop terwijl ze het dacht. Het was een regel tekst uit *Breakfast at Fred's.* Ze had zo vaak met Serena tekst moeten repeteren dat ze het hele script uit haar hoofd kende. In de film van haar leven was Nate de geweldige leider die er altijd zou zijn voor hulp en redding.

Nate nestelde zich op de bank – nog warm van het gewicht van Eriks lijf – en groef in zijn zakken naar zijn aansteker die hij alleen maar aan- en uitknipte. Hij kneep zijn ogen – groen met gouden vlekjes – half dicht in concentratie; een gebaar dat Blair kende en dat betekende dat hij ofwel verdiept was in zijn gedachten, of high van de wiet. Ten slotte tilde hij zijn hoofd op en keek haar aan. Tot Blairs verbazing had ze even het gevoel dat ze naar adem moest snakken.

'Denk je dat we misschien naar boven kunnen gaan... en...' Zijn stem stierf weg.

'Naar boven?' Ze nam een grote slok water. Ze was een miljoen keer bij Nate geweest, had met hem een miljoen keer gepraat en gezoend. Er was niets nieuws hier, en toch voelde het nu totaal anders.

'Ja,' mompelde hij, opnieuw bezig met zijn aansteker. 'Ik dacht dat we misschien naar boven konden gaan en... praten?'

'Praten?' herhaalde ze. Het nummer dat speelde was veranderd. Eerst was het iets van de groep *Clap Your Hands Say Yeah*, wat overging in *Hey Ya*. Hoewel het een oud nummer was begon de vloer te trillen, omdat buiten in de tuin en binnen in de kamer iedereen aan het dansen was.

'Ik eh...' begon Nate, weer knippend met zijn aansteker. 'Ik...'

Blair stond op en greep Nate bij zijn hand. Ze trok hem van de bank. Ze wilde luisteren naar wat hij zo ernstig probeerde te zeggen en ze wilde het kunnen horen. Ze trok Nate mee, de bibliotheek uit, door de drukke kamer en ze hield zijn hand vast, zodat ze hem niet zou kwijtraken in de menigte. Aan de voet van de trap glipte Blair langs Serena, zonder iets tegen haar te zeggen. Serena zou het wel begrijpen. Blair was halverwege de brede, geboende mahoniehouten trap toen ze voelde dat Nate achter haar bleef staan.

'Wat is er?' vroeg ze, terwijl ze zich omdraaide.

'Ik... ik moet je iets vertellen,' stamelde Nate.

'Boven,' drong ze aan, terwijl ze hem aan zijn arm meetrok. Hij bleef staan waar hij stond, dus draaide ze zich opnieuw om en keek naar hem. Ze stond een trede hoger, en nu waren ze bijna even groot.

'Het eh... i-i-is zo dat eh...' stotterde Nate. Hij keek haar recht in haar ogen en fluisterde: ‘Ik hou van je.’

Eindelijk.

wacht tot middernacht

'Ik hou van je.' De stem was onmiskenbaar die van Nate en de woorden waren zo duidelijk, zelfs boven de woeste kreten uit van een rondtollend hippiemeisje dat met haar armen zwaaide op 'Hey Ya' terwijl Serena een tik tegen haar wang kreeg van de lange, wild zwaaiende en naar etherische olie ruikende dreadlocks van het meisje.

Nate hield van Blair.

Serena had nooit kunnen denken dat Nate Archibald zijn emoties zo duidelijk voelde, maar ze wist dat het waar was – hij hield echt van Blair. Ze had de veelbetekenende blikken gezien die Nate en Blair wisselden sinds hun gedurfde vlucht uit de villa van Bailey Winter. En gisteren, de manier waarop Blair zich tussen hen in had gewerkt, toen ze naar bed gingen, was zo *duidelijk* geweest. Serena kreeg een wee gevoel in haar maag, zoals je dat ook krijgt als je met een auto te snel door een kuil in de weg rijdt zonder erop voorbereid te zijn: het was *haar* verjaardag – bijna in elk geval – en het was praktisch gezien *haar* feest. Was zij dan niet degene die een beetje liefde en affectie verdiende?

Ze aarzelde. Ze zat zo'n beetje ingeklemd tussen de prachtig behangen muur en een antieke staande klok, waardoor ze alles goed kon observeren.

Of was het bespioneren?

Ze keek om de klok heen. Nate en Blair stonden op de trap en maakten woordeloos een intens oogcontact. Toen vlocht Blair haar vingers door die van Nate en de twee verdwenen naar boven, waar ze linksaf de brede gang opliepen. Ze waren op weg naar de suite van Serena's ouders. Serena deed even haar ogen dicht. Toen sprong ze op en vocht zich een weg door de feestvierders naar de bar. Er was altijd whisky en Henry en sigaren. Niet noodzakelijkerwijs in die volgorde.

'O, ben je hier.' Serena liep wat onzeker, maar hield het kristallen glas vast dat ze – opnieuw – gevuld had uit de fles van haar vaders Oban whisky, die ze verborgen hield voor de rest van de feestvierders. Het was haar verjaardag en haar huis – waarom zou ze het goede niet voor zichzelf bewaren?

'Serena.' Henry's bekende stem klonk door de avond. Het voelde als een knuffel, de wetenschap dat hij dichtbij was. Hij was zo knap en hij had waarschijnlijk nog steeds een oogje op haar...

En misschien was ze alleen maar een *beetje* dronken?

Iemand had het klaargespeeld de vuurkorf in de tuin van de Van der Woodsens aan te steken. Henry en drie jongens die Serena niet kende zaten dicht bij elkaar eromheen en warmden zich omdat de zomeravond opeens tamelijk kil werd. Op de flakkerende vlammen en de sterren aan de hemel na was de avond donker. Het was een troostende, bekend soort duisternis. Serena had zoveel zomeravonden hier doorgebracht, zoals ook de avond dat ze Henry de bons had gegeven.

'Ik heb je gezocht.' Serena ging naast hem zitten op een van de lage stenen banken die in een kring om het vuur stonden. Ze had een oude afgeknipte jeans van Seven aan en hij zat nog steeds in zijn zwembroek. Hun blote knieën raakten elkaar bijna.

'En nu heb je me gevonden.' Hij gebruikte zijn sigarettenpeuk om een nieuwe sigaret op te steken.

'Dit is je verjaardagsfeestje, hè?' vroeg een van de andere jongens, die Serena opeens herkende als een van de kamergenoten uit haar broers eerste jaar op Brown, hoewel ze zich zijn naam niet kon herinneren.

'Morgen ben ik jarig.' Serena keek op haar smalle Chanel horloge. 'Over ongeveer zevenennegentig minuten, bedoel ik. En dan is het ook de nationale feestdag in Frankrijk.'

'Vive la France!' Henry hief de fles Corzo tequila en tikte daarmee tegen haar glas.

'Vive la France.' Serena tikte terug en dronk haar glas in één teug leeg. 'Ik heb je gemist,' voegde ze eraan toe, hoewel dat niet echt waar was. Zodra ze weer terug was in de stad zou ze Henry helemaal vergeten zijn.

'Ik jou ook.' Henry trok de kurk van de fles tequila en schonk haar glas en het zijne vol, toen gaf hij de fles door aan de jongen die links van hem zat. 'Zullen we hier ons eigen kleine vóór-feestje houden?'

Serena keek naar de schitterende sterrenhemel. Alles om haar heen bracht haar terug naar een jaar geleden, en toen naar twee jaar geleden, toen alles zo anders was geweest, maar ook precies hetzelfde. Ze keek opzij en ontmoette Henry's blik. Ze wilde dat hij haar opnieuw ging afleiden. Ze had het nodig dat hij haar afleidde, zodat ze een poging kon doen te vergeten wat er op dit moment waarschijnlijk gebeurde in het bed van haar ouders.

'En wat gebeurt er om twaalf uur?' vroeg ze terwijl ze aarzelend aan de tequila rook.

'Middernacht?' Henry tikte weer met zijn glas tegen het hare en goot de slok in zijn mond. 'Dan krijg je je cadeau.'

Als ze zolang wakker kan blijven.

love is in the air

'Alles goed, jongens?' Rufus Humphrey stak zijn hoofd met het krankzinnige haar om de deur van de kamer. 'Kan ik jullie niet nog iets brengen? Ik heb wat pesto met amandelen en linzen in de blender.'

'Nee, dank u wel, meneer Humphrey. Het was heel lekker allemaal!' Greg glimlachte vriendelijk en zei tegen Dan: 'Je pa is supergaaf.'

Dan haalde diep adem en gebruikte de afstandsbediening om de versleten, oude televisie van de Humphreys wat harder te zetten. Ze keken naar een documentaire over de *Beat Generation,* een groep Amerikaanse beat-schrijvers en beat-dichters uit de jaren vijftig van de vorige eeuw. Hoewel Dan het zich niet kon herinneren, had hij blijkbaar met zijn dronken kop Greg uitgenodigd om er samen naar te kijken. Wie weet wat hij nog meer voorgesteld had in zijn benevelde staat?

'Mmmm.' Gedachteloos stopte Dan popcorn in zijn mond, blij dat hij iets met zijn handen kon doen. 'Leuk dat je dit hebt meegebracht. Bedankt.'

'Geen probleem.' Greg reikte in de plastic kom. Zijn vingers raakten die van Dan, terwijl hij een handvol nam. 'Je zei dat je pa niet zo'n kok is, dus dacht ik: dan kom ik goed voorbereid.'

Echt waar? 'Ja, goed idee.' Dan grinnikte nerveus en zag dat zijn vader de krankzinnige penisvaas ergens op een van de boekenplanken had gezet. De verf op de kruimelige muren van de kamer vertoonde grote vochtplekken.

'In vino veritas,' grinnikte Greg.

Dan herkende de Latijnse uitdrukking, die suggereerde dat mensen vlugger zeggen wat ze echt voelen als ze dronken zijn. *In wijn zit de waarheid.* Zijn vader zei dat altijd voor hij een hele fles Merlot soldaat maakte.

'Man, kijk naar Kerouac. Hij is zo... elektrisch,' zei Greg.

Dan keek naar de beroemde schrijvers op het flikkerende scherm. Kerouac was inderdaad elektrisch. Hij was bijna... knap. Was het niet helemaal homo om zoiets te denken? Dan voelde zijn maag ineenkrimpen. Er was iets verontrustend bekends aan deze scène: op de bank zitten, de warmte en het gewicht van een ander lijf naast het zijne, een cerebrale documentaire op het scherm. Waar deed dit hem aan denken?

Aan wat? Of aan *wie?* Hij wist het niet precies, maar hij wist wat er nu kwam: de lichten werden wat gedimd, op de televisie kwamen verhalen over dollende, roekeloze, verboden schrijvers, de avond was warm, de bank was knus... Dit kon maar op een manier aflopen: met een vrijpartij.

Nog een vrijpartij, om precies te zijn.

'Ik kan het niet zo goed zien. Jij wel?' Dan reikte naar links en knipte de brokkelige, keramische tafellamp aan. Dat hielp de romantische stemming in de kamer een beetje te breken.

'Nu kan ik je beter zien.' Greg glimlachte quasi-verlegen tegen Dan.

'Goed. Dan pakte de grote plastic kom van zijn schoot en duwde hem in de smalle open ruimte tussen hem en Greg in. 'Zo kun je er gemakkelijker bij,' legde hij uit.

Dan sloeg op zijn zakken. Hij snakte naar een sigaret... maar durfde hij dat te riskeren? Hij was er zeker van dat er niets sexyer was dan roken: de kleine uitbarsting van het vlammetje als je de lucifer aanstak, het zwoel uitblazen van lange rookpluimen. Hij wilde Greg geen verkeerd signaal geven.

Ja, we houden allemaal van een rokersadem. Niet dus.

Er vielen een paar minuten stilte, waarin Dan zich probeerde te concentreren op de televisie, maar tegelijkertijd wilde hij ook voortdurend Gregs bewegingen vanuit zijn ooghoeken in de gaten houden. Greg wreef steeds met zijn hand over zijn zachte blonde stekeltjeshaar en kauwde op zijn enigszins gekloofde onderlip.

'Vind je de film niet goed?' Greg ving Dans blik. Hij pakte de afstandsbediening en zette hem zo zacht dat de televisie niet meer was dan wat gemompel op de achtergrond.

'Nee, nee, d-d-dat is het niet,' stotterde Dan. 'Ik eh... zat net te eh... denken wat we op onze volgende bijeenkomst van de salon moeten doen.'

'Ik denk dat we het over de beat-dichters en -schrijvers moeten hebben.' Greg trok zijn voeten op de bank en rustte met zijn kin op zijn knieën. Hij had een dun laagje zachte stoppels op zijn gezicht. 'We zouden zelfs deze documentaire kunnen laten zien. Ik bedoel, als je dat wilt.'

Dan keek naar de zwart-witfilm van een paar beat-dichters die flessen bier dronken en sigaretten rookten. Ze hadden een bloot bovenlijf. Hij knikte ellendig. Het had geen zin tegen het lot te vechten, of wel? Nu was hij homo – waar hij maar keek zag hij tekenen van het heelal die zeiden dat hij moest meedrijven op de stroom. Dus waarom kon hij niet gewoon zijn arm om Gregs schouders slaan en zachtjes zijn neus in zijn hals duwen? Het leek niet verkeerd, maar het leek ook niet helemaal goed.

'Kerouac! Christus, het wordt ook niet veel beter, hè?' Blijkbaar was Rufus Humphrey de kamer onopgemerkt binnengekomen. Hij stond achter de bank en ademde boven hun hoofden.

De hemel zij dank voor nieuwsgierige vaders.

Rufus boog zich naar voren en fluisterde in Dans oor: 'Het was een andere tijd, dat zeg ik je. We namen de regels of strenge bepalingen van de gemeenschap absoluut niet in acht.

We... bestonden, dat was al. Weet je wat ik bedoel?'

'Klinkt geweldig,' stemde Greg in, terwijl hij dichter tegen Dan aan leunde. Hij rook naar popcorn en wasmiddel. Hij rook heerlijk. Op een niet-homo manier.

'Pa, kom erbij!' Dan schoof op en greep zich vast aan de armleuning van de bank alsof het een reddingsgordel was. Hij pakte de kom popcorn en gaf een zachte klap op de lege ruimte op de bank.

'Er kan er met gemak nog eentje bij!'

'Meen je dat?' riep Rufus uit. Toen, met een verrassend elegante beweging voor zo'n forse man, sprong hij over de rugleuning van de bank en belandde tussen de twee jongens in. 'Ik vind het wel leuk!'

Dan slaakte een zucht. Hij was nog nooit eerder zo blij geweest om zijn vader te zien. 'Ja, kijk met ons mee. En misschien kun je naderhand al je verhalen vertellen over de goede oude tijd?'

Rufus bekeek zijn zoon argwanend. Zijn lichtgevende groene tanktop zat strak over zijn buik en was weggestopt in een marineblauwe gymbroek van Dan. 'Willen jullie mijn oude verhalen horen?'

'Absoluut.' Dan knikte opgewonden. 'En ik weet zeker dat Greg dat ook wil!'

'Jazeker.' Greg knikte beleefd.

'Ja, en vertel ons *alles,*' glimlachte Dan. De verhalen van zijn vader waren altijd eindeloos en een beetje onzinnig. En totaal niet romantisch.

laten we het doen

'Hé!' Blair ademde sexy uit en haar stem klonk laag en hees. Ze wist niet meer hoeveel cocktails ze had gehad, maar ze voelde zich nu volkomen nuchter. *Ik hou van je. Ik hou van je.* Hij hield van haar. Ze leunde tegen de zachtgele kussens op het bed in de rustige ouderssuite in het huis van de familie Van der Woodsen. De dreunende muziek beneden en de geluiden van de dronken feestvierders buiten werden overstemd door het zachte suizen van de airconditioning.

'Hé!' Nate stond aan het voeteneinde van het bed en grijnsde opgewonden naar haar. Zijn wangen waren rood en zijn groene ogen glansden. Hij ging van de ene voet op de andere staan en zag er eerder uit alsof hij stond te wachten in de rij voor de wc dan alsof hij zo bij haar in bed zou kruipen.

Blair klopte op het zachte donzen dekbed naast haar. 'Kom hier,' zei ze met een veelbetekenende glimlach.

Ja, mevrouw.

Nate schopte zijn grijsblauwe canvas bootschoenen uit en sprong op het bed. Hij sprong eerst een keer voorzichtig om te zien of het plafond hoog genoeg voor hem was om op en neer te springen zonder zijn hoofd te stoten. Toen begon hij als een gek rond te hossen.

'Stop! Stop!' riep Blair. Ze kwam ook overeind, pakte Nates handen en samen sprongen ze als een stel uitgelaten kinderen rond op het bed van Serena's ouders.

Toen hield Nate op met springen en zei, opeens serieus: 'Dus... eh... dit betekent iets?'

Blair hield zijn handen vast en zwaaide ze van de ene kant

naar de andere. 'Dit betekent iets?' herhaalde ze. 'Zoals in: *zijn we weer bij elkaar?*'

Nate haalde zijn schouders op. 'Ja.'

Blairs wangen waren vuurrood geworden van het springen. 'Dat is maar goed ook, want ik hou ook van jou.'

Nate glimlachte en kwam zo dichtbij dat zijn kin langs haar voorhoofd streek. Blair boog haar hoofd naar achteren. Zijn groene ogen-met-de-gouden-vlekjes straalden. En toen zoende hij haar.

Er hoefde niet zoveel meer gezegd te worden.

Disclaimer: alle namen van plaatsen, mensen en gelegenheden zijn veranderd of afgekort om de onschuldigen te beschermen. Mij, vooral.

ha mensen!

Is het lot niet raar? Je denkt dat je enige controle over dingen hebt, je vindt jezelf verantwoordelijk voor je leven, maar kom op – we zijn allemaal in de macht van het heelal. Ik bedoel, we lezen onze horoscoop, of niet? En we weten allemaal dat er een paar mensen zijn die gewoon... verbonden zijn. Het lijkt niet altijd logisch, maar het is niet de moeite waard om er ruzie over te maken. Dus kan ik jullie tot mijn plezier vertellen dat ik een vroege vogel heb gezien: ***B*** die de suite van het echtpaar Van der Woodsen uit komt om een fles water te halen. Ze heeft ***N***'s olijfgroene polo aan (en niets anders). Dat is het lot, mensen. Wen er maar aan.

De e-mails na het verjaardagsfeest beginnen binnen te druppelen en het schijnt dat het knalfeest zeker net zo spannend was als het gala van het Costume Institute in New York City, de avondkleding – of welke kleren dan ook – niet meegerekend. Maar waar iedereen het over heeft is de Jarige en de jongen die haar cadeau moet zijn geweest... Dus, trouwe lezers, volgt hieronder een opiniepeiling voor jullie:

Je komt een oude vlam tegen. Wat doe je?
Meet je een vaag Russisch accent aan en ga regelrecht aan de wodka.
Ga zoenen met het dichtstbijzijnde quasi-lekkere ding. Er is niets beters dan een nieuwe vlam om hem jaloers te maken.
Haal herinneringen op aan vroegere tijden... en laat hem dan al je

nieuwe trucs zien.
Bel ***S*** en vraag haar om raad – zij heeft het bovenstaande allemaal meegemaakt en gedaan.
Dat klopt. Het schijnt dat niet alleen ***N*** en ***B*** weer bij elkaar zijn, maar ook ***S*** leerde een oude vriend opnieuw kennen: ***H***. Of was hij meer dan een vriend? Hij is gezien terwijl hij haar net voor zonsopgang haar kamer binnendroeg. Oooo, wat lief! En nu de roddel. Wie is hij en wat is het verhaal? Ik snak naar antwoorden en ik weet dat jullie dat ook doen!

Jullie e-mail

Beste GG,
Alleen maar een antwoord op je bericht. Toen ik vanmorgen liep te joggen zag ik een oude sportwagen. Hij stond geparkeerd op een lange oprit met witte kiezelstenen en het zag eruit of er mensen samen in lagen te slapen! Gadver!
– 5K

Beste 5K,
Wat goed dat je nog steeds jogt 's morgens en bedankt voor de tip. Maar zoals meestal ben ik het spel al vooruit. Het reizende drietal is gelokaliseerd en ik heb hard gewerkt om erachter te komen wat er aan de hand is. Laten we hopen dat je schone slaapsters wakker worden voor ze terugkeren.
– GG

EEN KLEIN, VRIENDELIJK ADVIES

Als bewoners van New York City zijn we eraan gewend wakker te worden in onze eigen bedden. Je kunt overal heen, voor feesten tot diep in de nacht en buiten staat er een taxi om je snel terug te brengen naar je penthouse of wat voor huis dan ook. Maar buiten de stad is het anders. Iedereen... *blijft slapen.* Ik weet het, ik weet het. Het klinkt een beetje al te wild – wakker worden in een onbekend huis, en heel waarschijnlijk met een of andere onbekende vlam-van-die-avond die ligt te kwijlen op je rokje. En ja, het kan vervelend zijn iedereen in het onbarmhartige daglicht te zien zonder het voordeel van drank-ogen. Maar ik ben in een stemming om te geven (hallo, wanneer ben ik dat niet?) en ik heb goede raad...

VIJF SUGGESTIES VOOR DE MORNING AFTER

1. Huizen op het platteland hebben de leukste badkamers. Neem een stoomdouche en voel je vrij een vriend mee te nemen. De douche is groot genoeg voor twee en gedeelde vreugd is dubbele vreugd!

2. Ja, je ziet er verschrikkelijk uit, dus je leent iets van de gastvrouw. Maar als je ondergoed wilt lenen, hou het dan maar, dan blijft het ons geheim.

3. Hoofdpijn? Verzamel de overgebleven champagne voor Mimosacocktails en stop een beetje Kahlúa in de cafetière. Misschien begint het feest dan wel opnieuw.

4. Help jezelf aan de schoonheidsproducten van de gastvrouw. Moeders hebben altijd de allerbeste oogcrème.

5. Je voelt je nog steeds niet beter? Misschien is er nog wel een of andere pijnstiller over van oma's valpartij. Hé, katers *doen pijn!*

Oké, mensen, ik ga de raad aan mijzelf opvolgen: een kleine duik in het zwembad. Welk zwembad? Ja-ja, wist je dat maar, hè!

Je weet dat je van me houdt,

gossip girl

birthday blues

'Hartelijk gefeliciteerd met je verjaardag, Serena,' fluisterde Serena met een hese, krassende stem. Ze stapte uit haar rommelige, verkreukelde bed en gaapte treurig. Ze was de hele nacht half wakker en half slapende geweest: echt doorslapen ging niet met Henry zo dicht tegen haar aan. Serena hoorde steeds Nates stem in haar hoofd: *Ik hou van je, ik hou van je, ik hou van je.*

Ze schoof met haar voeten in haar roze teenslippers en slofte de kamer uit. Ze hoefde niet op haar tenen te lopen, want Henry lag zo hard te snurken dat ze haar aerobicsoefeningen wel op het bed kon doen zonder hem wakker te maken.

Op de gang was het stil. Een bleke zon gluurde in de vroege ochtend door de hoge ramen naar binnen. Serena bleef even voor het raam staan en keek naar buiten: het groen van het uitgestrekte gazon, de zachte schittering van het zwembad, de helderblauwe lucht zonder zelfs maar de gedachte van een wolkje. Het zou weer een prachtige dag worden, maar op de een of andere manier had het mooie weer een averechtse uitwerking op haar.

Wie wist dat ze heimelijk een dramatische karaktertrek had?

Ze wreef over haar blote armen en liep de brede trap af naar de hal met de marmeren vloer. Ze zag de schade van het feest: series hoge glazen met erin nog de plakkerige resten van cocktails die voor het grootste deel opgedronken waren. Ze stonden op de wandtafel, sigarettenpeuken lagen op de grond, papieren bordjes – met nog half opgegeten hamburgers erop – stonden op de lage salontafel. Ze liep de kamer binnen en keek naar de slapende gasten die uitgevloerd op de leren Chesterfieldbanken lagen met op de grond lege flessen om zich heen.

Het is te hopen dat de hulp vandaag komt!

Ze keek naar de gezichten van de feestvierders – vredig slapend, zich nog niet bewust van de verschrikkelijke katers in hun onmiddellijke toekomst. Iedereen zag er lief en onschuldig uit. Nog maar een paar uur daarvoor hadden ze allemaal een dronken koor gevormd en 'Happy Birthday' gezongen. Serena had gedaan of ze niet hoorde dat ze maar wat mompelden bij 'dear Serena'. Behalve Erik en Henry waren de enige andere mensen die haar naam wisten boven met andere dingen bezig dan met zingen.

Ze zocht een schoon glas in de keuken en vulde het met koud water. Ze dronk er gretig van om de smaak van haar ochtendadem weg te spoelen.

Lekker.

Ze ging op het aanrecht zitten. Ze had het gevoel of ze de laatste nog levende persoon was na een atoomexplosie of andere ramp. Maar door de stilte kon ze de dingen in haar hoofd weer een beetje op een rij krijgen. Vandaag was ze achttien geworden, maar ze dacht niet aan wat er vóór haar lag. Voor het eerst in een lange, lange tijd moest ze maar steeds aan het verleden denken.

Iedereen nam altijd aan dat ze zo zorgeloos was als ze zich voordeed, maar de waarheid was dat ze dat *inderdaad* maar speelde. Althans, een groot deel van de tijd. Ten slotte zag zelfs zij er verschrikkelijk uit als ze gehuild had. En in die eerste dagen op Hanover had ze *heel vaak* gehuild.

Ze sprong weer van het aanrecht en liep naar de bibliotheek. Ze trok alle laatjes open tot ze het postpapier ontdekte. Toen, in plaats van in de reusachtige leren bureaustoel van haar vader te gaan zitten, kroop ze onder het bureau. Het was een van haar favoriete schuilplekjes geweest toen ze klein was. Donker en knus en veilig, met de muffe geur van antiek hout. Ze trok de draaistoel tegen het bureau zodat ze nauwelijks meer zichtbaar was en begon te schrijven. Tegen de tijd dat ze gezegd had wat ze wilde, had ze drie kantjes van het ivoorkleurige postpapier volgeschreven.

Ze kroop weer uit haar schuilplaats, vouwde de twee vellen papier op, stopte ze in een envelop, en plakte die met twee snelle likken dicht. Ze krabbelde een naam op de voorkant en toen, alsof ze zich moest haasten, omdat ze bang was dat ze van gedachten zou veranderen, rende ze het huis uit, de oprit op. Daar stonden tientallen auto's slordig geparkeerd, maar het was gemakkelijk de oude jagergroene Aston Martin op te sporen. Met grote stappen liep ze erheen. De kap was nog steeds naar beneden en de hele auto was nat van de dauw en glansde in het grijsgouden ochtendlicht. Ze maakte het handschoenenkastje open en legde de envelop erin, met de voorkant naar boven.

Iemand krijgt een grote verrassing.

AIR MAIL – PAR AVION – 14 juli

Lieve Dan,

Wauw – dat is groot nieuws! Misschien kunnen we samen gaan winkelen als ik terug ben? Of schaatsen? Vind je dat soort dingen nu leuk?

Ik had het er met mam over en ze zei dat toen je klein was, je je altijd in haar kleerkast verstopte en haar avondjurken-met-lovertjes van vroeger aantrok. Is dat niet grappig? Gefeliciteerd met het feit dat je eindelijk uit de kast bent gekomen!

Ik hou van je!

Jenny

my baby takes the morning train

'Ik ben thuis,' fluisterde Vanessa, terwijl ze stilletjes het rommelige appartement van Dans vader in Upper West Side binnenstapte. Ze zette haar rugzak voorzichtig op een stoel, waarvan de armleuningen beladen waren met winterjassen, hoewel het juli was. Het was pas acht uur 's ochtends en het leek niet erg aardig om het hele huis wakker te maken om haar niet-triomfantelijke terugkeer aan te kondigen. Hoe vaak zou ze hier nog binnensluipen? In feite was dit de enige plek in de wereld die ze thuis kon noemen en ze had hier al een verontrustend aantal keren moeten terugkeren in de afgelopen weken: eerst nadat ze zonder veel plichtplegingen uit het appartement in Williamsburg was gezet, toen nadat ze ontslagen was bij haar eerste echte baan bij de productie van *Breakfast at Fred's*. En nu nadat ze op het nippertje aan haar baantje als onverschillige nanny was ontsnapt om de saaie muze te worden van de manisch enthousiaste Bailey Winter.

Wat een zomer!

'Wie is daar?'

Enigszins geschrokken nu ze Dans stem hoorde – hij had althans als Dans stem *geklonken* – zo vroeg in de morgen, gluurde Vanessa de nog donkere gang in. 'Dan? Ik ben het. Vanessa.'

'Vanessa,' mompelde Dan treurig. Hij was bleker dan anders en zijn wangen hadden een laagje stoppels alsof hij was begonnen met scheren en toen van gedachten was veranderd. Hij had auberginekleurige kringen onder zijn ogen en hield een onaangestoken sigaret in zijn hand alsof hij vergeten was hem aan te steken en daarna vergeten was dat hij hem in zijn hand hield.

Wauw – iemand is echt geen ochtendmens.

'Dan? Je ziet eruit alsof...' Ze zweeg, terwijl ze de olieachtige glans van zijn warrige ongewassen haar in zich opnam. Ze voelde opeens een groot verlangen om een bad voor hem klaar te maken en hem daarna een bord havermout te geven. Ze deed een stap naar voren, sloeg haar armen om hem heen en tilde hem even op. Hij rook naar oude sigaretten en oksel. Om de een of andere reden vond Vanessa dat nog steeds lekker. Maar toen ze iets meer tegen hem aan leunde en zijn rommelig geschoren nek rook, maakte hij zich los uit haar omhelzing. 'Alles goed met je?' vroeg ze bezorgd.

'Ik weet het niet.' Dan stak de onaangestoken sigaret in zijn mondhoek en zocht nerveus in zijn zakken. 'Ik kan mijn aansteker niet vinden.' Hij klonk of hij zo in tranen zou kunnen uitbarsten.

'Je aansteker?' Het klonk niet alsof dat zijn enige probleem was. Arme Dan, soms nam hij het imiteren van Keats wel een beetje al te serieus.

'Het doet er niet toe.' Dan haalde de sigaret uit zijn mond en stak hem achter zijn oor, waar een dot van zijn gladde, vette haar het ding op zijn plaats hield. 'Ik maak koffie. Wil jij ook?'

Wat ze echt wilde was in een bed ploffen, zo mogelijk met Dan, maar hij deed volkomen bizar.

'Koffie klinkt goed.' Vanessa sloeg haar arm zachtjes om Dans schouders, alsof hij een zielige zwerver was die getroost moest worden. Ze liep voor hem uit door de gang – die de kleur had van bruine rijst – naar de keuken. 'Misschien maak *ik* de koffie. Dan kun jij gaan zitten en me vertellen waarom je er zo rot uitziet.'

Dan kwam achter haar aan, maar was nog niet in de keuken

of de woorden kwamen als een waterval: 'Ik heb me door een jongen die ik bij de Strand ontmoet heb laten zoenen. We zijn samen een salon begonnen. Ik ben homo. Mijn vader zei dat hij vroeger wel eens homoachtige dingen heeft gedaan toen hij uitging met dichters, maar ik – ik ben echt homoseksueel.'

Vanessa stond in de keuken en draaide de grote pot oploskoffie open die op het aanrecht stond. Dan ging aan de versleten formicatafel zitten en liet zijn hoofd in zijn handen rusten.

'Wat bedoel je met "een salon begonnen"?' vroeg ze waarbij ze het homo-deel volkomen negeerde. 'Jij bent meneer nooit-naar-een-echte-kapper. Wat weet jij over salons?'

Dan moest glimlachen. 'Nee, een literaire salon.' Met de nadruk op *literaire*. Hij keek weer ernstig. God, wat klonk hij nichterig. 'Er waren een heleboel mooie meiden op onze eerste bijeenkomst en die zoenden elkaar ook.' Hij fronste verward zijn wenkbrauwen. 'Maar ik heb Greg gezoend.'

Vanessa zette een kan water in de magnetron, wachtte tot het water heet was en schonk het uit in twee bekers die niet bij elkaar pasten. Ze roerde een paar lepeltjes oploskoffie door het water in de bekers. Ze nam een slok en trok een vies gezicht. Christus, wat een waardeloze oploskoffie. Na de heerlijke koffie die ze in de Hamptons had gedronken smaakte deze naar hondenpies.

'Ik moet dit even verwerken, Dan. Zo, zo, hoho.' Vanessa nam nog een slok van de bittere koffie en keek om zich heen, naar de berg afwas op het aanrecht, naar de schaal met verrotte bananen, naar de gammele stoel waar Dan op zat en er ellendig uitzag. 'Sorry, dat was flauw.'

'Haha,' zei Dan maar hij lachte niet.

'Dus... je bent homo. Jij. Dan Humphrey. Homo. Geen blije homo. Een gewone homo. Of ben je een ik-wil-graag-metjongens-zoenen-homo.' Vanessa trok weifelend haar donkere wenkbrauwen op.

'Ik wil niet zeggen dat ik *graag* met jongens zoen.' Dan keek haar somber aan. 'Maar ik heb het wel gedaan.'

Jezus. Ze was drie dagen weggeweest en Dan had al iemand anders. Meisje, jongen, aap. Het was wel snel.

'Nou, ik heb een keer een salade gegeten. Maar dat betekent nog niet dat ik vegetariër ben.'

'Zo simpel ligt het niet. Ik kreeg een kaart van Jenny waarop stond dat mam gezegd had dat ik vaak jurken droeg toen ik klein was.' Dan haalde zijn handen door zijn haar, waarbij hij onwillekeurig de sigaret totaal verkreukte die hij nog een paar minuten daarvoor achter zijn oor had gestoken. 'Shit.'

'Zo simpel ligt het wel, Dan. Luister, je bent homo of je bent het niet. Of...' Vanessa zweeg even en overwoog de derde optie. 'Of je bent bi. Misschien is het dat. Je bent gewoon jezelf... eh... aan het onderzoeken, aan het ontdekken.'

'Meen je dat?' Dans gezicht klaarde even op. 'Ik bedoel, Greg is aardig. We houden van dezelfde dingen. Maar gisteravond was hij hier en ik werd er bloednerveus van. En ik heb niet met hem gezoend. Ik kon het niet.'

Vanessa ergerde zich dat Dan met iemand anders had gezoend, terwijl zij – pfff – Chuck Bass had beschouwd als een vervanger van Dan. Maar ze werd geraakt door zijn meelijwekkende staat van totale verwarring. De kleine rimpel in zijn voorhoofd zag eruit alsof hij er al dagenlang zat, en de afhangende schouders duidden op een diepe verslagenheid. Het liefst wilde ze hem naar zijn kamer dragen en hem als een klein kind instoppen. En het dan met hem doen.

Maar die gedachte schoof ze even opzij. Dan was homo, of misschien bi. Maar hij was op verschillende momenten ook een heleboel andere dingen geweest: een literaire sensatie op wie steeds gedronken werd, een rockgod-voor-één-nacht, een rebelse spreker bij het behalen van het eindexamen middelbare school, een fitnessfreak. Nu was hij homo. Het zou absoluut niet langer duren dan welke van zijn andere fases ook en als hij het homo-zijn zat werd of besefte dat homo zijn zou betekenen dat hij inderdaad met jongens zoende en niet met meisjes – met haar in het bijzonder – nou, dan was ze er, in de slaapkamer naast de zijne.

'Luister, Dan.' Vanessa goot de rest van haar bittere koffie in de gootsteen vol vuile afwas en liet haar beker op het aanrecht staan. 'Je bent veel te hard voor jezelf. Hou daar eens mee op! Ik bedoel, er is toch helemaal niets *mis* mee om homo te zijn, of wel?'

'Natuurlijk niet! Thomas Mann was homo. En hij heeft de Nobelprijs gewonnen.'

'Precies.' Vanessa grijnsde even, blij te horen dat Dan weer een beetje meer als zichzelf klonk. Zo voorspelbaar, zo gemakkelijk te beïnvloeden. Hij moest weer van dit gedoe af, zij kon wachten. 'Hé, ik zou die Greg-jongen graag een keer ontmoeten.'

'Ja?' vroeg Dan weifelend. 'Meen je dat?'

'Ja.' Vanessa kneep in zijn schouder. Nu Dan homo was, kon ze op zijn schoot gaan zitten, toch? Ze besloot het te proberen. 'Ik meen het,' voegde ze eraan toe, terwijl ze op Dans magere knie ging zitten. Dan sloeg zijn armen om haar middel heen en begroef zijn neus tussen haar schouderbladen.

'Bedankt,' zei hij met gedempte stem. 'Je bent mijn held.'

Hé, misschien is hij *echt* homo.

leuk e-mailadres, maatje

Aan: Gedicht van Mij. Literaire salon <vaste leden van de groep>
Van: Greg P. <wilde-and-out@rainbowmail.net>
Onderwerp: volgende bijeenkomst!

Beste vrienden,

Ik hoop dat jullie net zo genoten hebben van onze eerste bijeenkomst als ik. Ik vind het leuk om verslag te doen van het feit dat onze eerste afspraak al geresulteerd heeft in het ontluiken van enige romances – een gelukkig gevolg als er zoveel gelijkgestemde creatieve mensen bij elkaar zijn. Ik hoop dat we elkaar kunnen blijven inspireren en opwinden bij ál onze *samenkomsten.*

Voor de volgende bijeenkomst wil ik vragen of jullie je lievelingsboek van Shakespeare meebrengen. We kunnen om de beurt voorlezen. Jullie laten die van jullie zien, dan laat ik de mijne zien.

Jullie verliefd en jambisch vijfvoetig vers, Greg

weer op weg

'Stop!'

'Wát?' Het enige nadeel van de cabriolet van Nates vader was dat je onder het rijden nauwelijks kon praten. Nate keek opzij en zag Blair druk wijzen naar een bord dat zei dat ze een van die waardeloze punten naderden vanwaar je een mooi uitzicht had. Er stonden al een paar busjes geparkeerd in de berm van de weg.

S-á-á-á-á-i.

'Wil je dat ik stop?' Nate remde al en stopte even later. Hij wilde geen ruzie met Blair. Hij wist wel beter.

'Het is vast grappig.' Blair groef in haar haastig ingepakte rieten reistas van Coach en trok er een digitale camera uit. 'Ik heb hem gepikt uit Serena's huis. Ik hoop dat ze niet al te woest zal zijn.'

Nate fronste zijn wenkbrauwen toen hij Serena's naam hoorde noemen. Hij voelde zich nog steeds een beetje schuldig, omdat ze zonder afscheid waren weggeslopen uit het huis – en nog wel op haar verjaardag. Blair had hem ervan overtuigd dat Serena 's morgens niet geroepen wilde worden, verjaardag of geen verjaardag, en dat er kans was dat ze niet alléén naar bed was gegaan. En het was haar huis, dus was het niet zo dat ze haar zomaar ergens achterlieten.

Wat je jezelf maar wijsmaakt.

Voor Nate de motor had afgezet, was Blair al uitgestapt en rende naar de lage stenen muur die de parkeerplaats scheidde van de supersteile daling naar een diepe vallei met een mengeling van bomen, planten en bloeiende struiken. Ze had de kleinste shorts aan die hij ooit had gezien en die maakte haar benen belachelijk tastbaar. Ze sprong op het muurtje en tuitte haar lippen.

'Neem een foto!'

Grinnikend en opnieuw hitsig maakte Nate zijn gordel los en sprong uit de auto. Hij moest zich bedwingen om niet naar de stenen muur te rennen en zijn handen in haar kleine shorts te steken. Hij pakte de camera uit Blairs uitgestrekte hand. 'Zeg *cheese*.'

Blair stak haar tong uit en keek scheel.

'Geweldig.' Nate lachte om de gebruinde, gelukkige, mooie Blair op het kleine LCD-schermpje.

Blair gaf met haar vlakke hand een klapje naast haar op de muur. 'En nu eentje van ons samen.'

Nate ging naast haar zitten en hield de camera op hen tweeën gericht. Blair drukte haar gladde wang tegen de zijne. Hij werd een beetje licht in het hoofd van haar geur en stak zijn vrije hand uit, op zoek naar steun.

Voorzichtig, slagman.

'Ik wil dat onze hele zomer wordt zoals dit.' Blair stak haar arm door de zijne en zuchtte. 'Wij tweetjes alleen op de open zee. Geen mensen, geen zorgen. Alles perfect.' Net als in de film die voortdurend door haar hoofd speelde.

Nate knikte. 'Ik kan niet wachten om het water op te gaan.' Het beeld in zijn hoofd van Blair in haar bikini, wat rondhangend op het dek van de *Charlotte,* overweldigde hem. Eindelijk ging het gebeuren. De echte zomer die hij wilde, begon – en alles viel op zijn plaats. In noordoostelijke richting rijden in de kalme zomermiddag naar de zee, naar de vrijheid, met Blair vlak naast hem... Nate voelde dat het gewicht van al zijn fouten in het verleden van zijn schouders werd getild. Hij had nooit iets gepikt van de voorraad Viagra van zijn coach; zijn diploma van de middelbare school was hem nooit onthouden; hij had het nooit aangelegd met Tawny; hij had nooit zalf gesmeerd op Babs' tattoo. Hij had alleen maar met Blair geslapen en hij zou de rest van de zomer met haar doorbrengen en misschien wel de rest van zijn leven. Alles ging zoals het behoorde te gaan met het heelal.

'Oké. We gaan rijden.' Het was bijna alsof Blair zijn gedachten kon lezen. Ze sprong van de muur en greep de camera uit Nates hand om de foto's die Nate had genomen rustig te gaan bekijken.

'Ik moet nog even naar de wc.' Hij knikte in de richting van een betonnen gebouwtje waarin de toiletten waren.

'Schiet je een beetje op?' Blair gaf hem een zoen op zijn wang voor ze weer voorin de kleine sportwagen stapte.

In het naar schoonmaakmiddelen ruikende toilet concentreerde Nate zich op datgene wat er over een paar uur zou gebeuren, als ze ten slotte hun bestemming hadden bereikt. Hij deed zijn ogen dicht en zag Blair voor zich uit de loopplank op springen en op het dek van het jacht, terwijl ze die kleine, witte shorts intussen uittrok en achter zich liet vallen.

Toen hij zijn handen stond te wassen, voelde Nate het bekende trillen van zijn mobiel in de zak van zijn bermuda. Het was waarschijnlijk Blair die hem zou vertellen dat hij zich moest haasten. Hij glimlachte. Sommige dingen veranderden nooit – zoals Blairs ongeduld. Hij toetste de voicemail in om naar de sexy boodschap te luisteren die Blair had ingesproken, terwijl hij zijn handen afdroogde. De mobiel zat gevaarlijk tussen zijn oor en zijn schouder geklemd. Hij liet hem bijna in de wasbak vallen, toen hij niet Blairs plagerige, giechelende stem hoorde, maar het woedende geluid van coach Michaels' stem.

'Archibald, ik weet niet wat jij je in je hoofd haalt, verdomme, maar het is hier afgelopen. Dacht je dat mijn vrouw je zou dekken? Vergeet het maar, jongen. Ze zei dat je zat te blowen op *mijn* zolder, verdomme. Onder *mijn* dak, godverdegodver! Je denkt dat ik bluf, Archibald? Ik bel onmiddellijk je vader. Het is voorbij, jongen. Je zult dat diploma nooit zien. Yale University? Dat zal nooit gebeuren. Grote vergissing, om mij te belazeren. Gigantische vergissing. En ik ben nog niet klaar met je.'

Nate had zijn handen afgedroogd. Toen greep hij de mobiel en sloeg met zijn wijsvinger op de knop die deze boodschap voor altijd zou wissen. Hij stopte de mobiel terug in de zak van zijn broek en bekeek zijn gezicht in de gebarsten spiegel die boven de wasbak hing. Hij moest hier als een verdomde speer weg.

Hij dacht als een man op de vlucht.

de gestolen brief

'Hoi, met Blair. Ik wilde alleen maar bellen om je hartelijk te feliciteren met je verjaardag. Sorry, we moesten weg. Ik bel je later en zal je alles vertellen.'

Blair zette haar mobiel uit en gooide hem in haar tas. Genietend zat ze in de warme leren kuipstoel die haar omsloot. Maar algauw begon ze ongeduldig met haar voet op de grond te tikken. Waarom moest het allemaal zo lang duren, verdomme? Hoe vlugger ze terug waren op de weg, des te vlugger ze op de *Charlotte* zouden zijn en hoe sneller zij uitgestrekt op het brede houten dek in haar ondergoed zou liggen zonnen, terwijl ze een bacootje dronk en Nate met haar vingers rauwe oesters voerde. Ze was van plan elke minuut van de zomer op deze manier door te brengen.

Geen slecht plan!

Ze draaide aan de achteruitkijkspiegel om haar gezicht te bekijken: haar ogen zagen er helder en stralend uit, haar huid was gaaf en al aardig bruin. Haar haar was gebleekt in de zon. Ze grijnsde tegen zichzelf. Alle stress van de zomer smolt weg: zo was ze nooit naar Londen gegaan met Lord Marcus; ze had nooit in de schaduw gestaan bij Serena in haar filmdebuut; ze had Nate nooit hand in hand gezien met een of andere verlopen meid van Long Island. Alles was zoals het behoorde te zijn: Nate en zij, verliefd, voor altijd.

Blair wilde de stereo aanzetten, maar bedacht dat Nate de autosleutels in zijn zak had, dus zou hij het niet doen. Ongeduldig draaide ze aan de knop van het handschoenenkastje. Het zakte open en ze zag een envelop met een naam erop gekrabbeld in een bekend handschrift. *Nate.*

'Wat is dit?' zei Blair hardop. Ze pakte de envelop. Waarom liet Serena een envelop voor Nate achter in de auto? Ze keek naar het gebouwtje met de toiletten om te zien of Nate nog steeds binnen was. Ze stak haar nagel onder de flap van de envelop. Ze haalde de twee vellen papier eruit en begon het opgewonden gekrabbel van Serena te lezen:

Nate, ik ben een paar uur geleden achttien geworden. Toen de klok sloeg, keek ik om me heen, maar ik zag je nergens. Ik weet dat je bij Blair was en als jullie echt gelukkig zijn, ben ik blij voor jullie. Want hoe kun je niet willen dat iemand, van wie je houdt, gelukkig wordt? Maar dat is het juist, Nate... Ik denk dat ik van je hou. Ik weet dat dat krankzinnig klinkt en er waren zoveel andere keren dat ik het tegen je had moeten zeggen, maar ik besefte het pas gisteravond, of vanavond, wat dan ook. En als ik het je nu niet vertel, wanneer dan? Het is... Jij bent het altijd geweest. Heb je je ooit afgevraagd waarom ik in de herfst terugkwam? Gisteravond, toen

Blair hield midden in de zin op met lezen, keek ongeduldig naar de drie kantjes, geschreven op twee vellen zwaar postpapier, met Serena's te grote handschrift vol lussen. Blairs hart bonkte in haar borst. Ze hoefde zich niet af te vragen wat ze nu moest doen. Ze keek naar links en naar rechts, alleen maar om te bevestigen dat ze inderdaad alleen was, stapte vlug uit de auto en liep terug naar de plek met het mooie uitzicht.

Voorzichtig scheurde ze het eerste vel van de brief middendoor, toen die helft in kwarten. Ze bleef scheuren tot ze een handvol snippers had. De warme wind blies de papiersnippers uit haar hand en stuurde ze als een regenwolkje naar de vallei beneden. Ze deed hetzelfde met het andere vel en ook met de envelop.

Blair liep terug naar de auto en pakte haar mobiel uit haar tas. Ze keek even naar de telefoon. Zou ze Serena bellen en tegen haar zeggen dat ze alles wist over de brief, dat ze nu wist wat haar veronderstelde beste vriendin eigenlijk voelde voor háár vriendje, verdomme? Of moest ze het onschuldige meisje uithangen, het kreng met de twee gezichten negeren en zich concentreren op de perfecte zomer die zich voor haar uitstrekte? Ze voelde zich opeens niet zo rot meer over het feit dat ze Serena op haar verjaardag had achtergelaten.

Meen je dat?

'Klaar?' Nate stapte in, met een jongensachtige grijns op zijn perfecte gezicht.

'Klaar.' Blair klikte haar gordel vast.

Maak je gordel vast – dit wordt een wilde rit!

beter laat dan nooit?

Serena lag weer in haar witte bed tussen de witte lakens en staarde naar het plafond. Ze probeerde te slapen nu ze eindelijk had toegegeven wat ze echt voelde. Het plafond zat vol gaatjes. Ze had er tientallen *glow-in-the-dark*-sterretjes ingeschoten voor ze naar Europa vertrok. En de afgelopen drie uur had ze de nu nog overgebleven sterretjes liggen tellen, vanaf het moment dat ze de brief in de Aston Martin had achtergelaten. Ze raakte steeds de tel kwijt en begon opnieuw. En misschien was ze weggedoezeld of misschien niet. Henry schoof iets dichterbij en legde een arm over haar borst. Het voelde zwaar en verstikkend. Ze was op precies hetzelfde punt als een jaar geleden: verliefd op Nate, maar ze lag naast Henry. Nu had ze het eindelijk toegegeven. Het was van haar lever af, maar waarom kon ze niet slapen?

Misschien van gedachten veranderd?

Ze stapte die ochtend voor de tweede keer uit bed en glipte de gang op. Beneden waren een paar mensen bezig lege flessen in de vuilnisbak te gooien. De grootvadersklok in de hal beneden vertelde haar dat het helemaal geen ochtend meer was: het was precies twaalf uur 's middags. Ze trok aan het lange witte T-shirt dat ze aan had, tot het even boven haar knieën hing. In grote letters stond er BROWN op haar borst.

Ze wist niet eens waar ze heen wilde, tot ze voor de gesloten deur van de slaapkamer van haar ouders stond. Blair en Nate waren binnen, wist ze. Ze hadden waarschijnlijk een fort gemaakt van de vele grote kussens op het bed dat door Blair waarschijnlijk 'de Zoengrot' was gedoopt of zoiets lulligs...

of zoiets aanbiddelijks als je verliefd was. Wat Nate was. Op Blair.

Dus wat had Serena gedaan door hem nu haar liefde te verklaren? Er waren verleden jaar zoveel andere, betere momenten geweest waarop ze het hem had kunnen vertellen. Zoals toen ze bijna naakt in een paskamer stonden bij Bergdorf. Of toen ze zoenden in het bad van Isabel Coates huis in de Hamptons. Of toen ze besloten had niet terug te gaan naar het internaat en in plaats daarvan terugkeerde naar de City. Maar dat had ze niet gedaan. Ze had het hem niet verteld, vooral omdat ze bang was. Dat hij niet van haar hield, en dat klopte. Hij hield van Blair.

Ze liep weg van de zware, houten deur die toegang gaf tot de suite van haar ouders. Ze haastte zich naar de trap waar Nate Blair de vorige avond zijn liefde had verklaard. Dus waarom had ze plotseling Nate *haar* liefde verklaard, op het vreselijkste moment?

'Hé, jij bent de jarige.' Een jongen stond aan de voet van de trap. Ze had hem nooit eerder gezien. Hij keek naar haar op. Zijn wilde haardos was boven op zijn hoofd samengebonden in een slordige knot. 'Selima, hè?'

'Serena,' zei ze.

'Goed. Denk je dat je me even naar het station kunt brengen?' Hij stak een hand onder zijn versleten, gerafelde polo die met zweetvlekken bedekt was, en krabde, waarbij een stuk van zijn behaarde buik te zien was.

Bah.

Serena kwam een trede naar beneden en liet haar hand over de donkere, houten leuning glijden. 'Ik weet zeker dat mensen beginnen op te staan. Iemand zal je vast even brengen.'

'Cool.' Hij stak zijn armen in de lucht, gaapte luidruchtig en liep terug naar de kamer, waar nog steeds mensen uitgestrekt lagen op elk zacht oppervlak dat er maar te vinden was. Ze hoorde iemand mompelen: *'Hééé, man!'* toen hij op een van de antieke, leren Chesterfieldbank neerplofte.

Serena rende door de hal naar de deur en wachtte daar even, hand op de deurknop, voor ze de deur opentrok en naar buiten liep. De voorkant van het huis lag in de schaduw. Het was er koel. Ze sloeg haar armen beschermend om zichzelf heen, terwijl ze naar de lange oprit keek.

Ze wist niet zeker of ze zich bedacht had, of niet. Wilde ze terugsluipen naar de auto en de envelop eruit halen die ze erin had achtergelaten? Maar de beslissing was al voor haar genomen: de Aston Martin was nergens te zien. Nate – en waarschijnlijk Blair – waren weg.

En ze hadden enig sappig leesmateriaal meegenomen.

wegvaren bij ondergaande zon

Blair zat gebogen in de kuipstoel van de Aston Martin terwijl Nate afremde en ten slotte stopte voor de witgeverfde New Port Yacht Club. De haven lag te schitteren in de middagzon. Blair ademde de warme, zoute zeelucht in. Ze bleef haar hoofd schudden, liet haar haar om haar schouders zwaaien, wat – hoopte ze – er sexy uitzag. De waarheid was dat ze alleen maar probeerde los te komen van de gedachte aan Serena's brief. Even serieus, wat kon het verdomme schelen?

'Ik kan nauwelijks geloven dat we er zijn.' Nates stem deed haar schrikken, maar vroeg haar aandacht. Ondanks het feit dat hij honderden kilometers had gereden om hier te komen, leek Nate niet al te enthousiast om uit te stappen. Hij had zijn gordel losgemaakt en zat daar maar, starend door de kleine voorruit van de auto naar het woud van masten in de haven.

'Wat is er?' Blair deed het portier open en begon op en neer te springen om haar bloedsomloop weer een beetje op gang te krijgen. Ze had te lang in elkaar gedoken gezeten.

'Wat? O, niets.' Nate keek geschrokken.

Blair legde haar handen op haar heupen. Haar opbollende katoenen blouse wapperde in de wind. 'Is alles echt oké? Je ziet er een beetje afwezig uit.'

'Niets aan de hand. Alles is prima.' Nate stapte uit en sloeg het portier achter zich dicht. 'We zullen iets met de auto moeten doen.' Hij fronste zijn wenkbrauwen.

Blair bracht haar tas in orde. Nate was niet alleen afwezig, hij zag eruit alsof hij ging overgeven. Was er een kans dat hij van de brief wist? Of kon Serena hem hebben gebeld toen hij in het toiletgebouwtje was? Had het daarom zo lang geduurd? Blair ging steeds ongeduldig van haar ene been op het andere staan. Waarom schoten ze niet op?

'Nate, is er iets wat je me wilt vertellen?'

'Wat? Nee hoor,' antwoordde Nate, terwijl hij de autosleutels in zijn zak stopte. 'We gaan dit echt doen, hè?'

'We gaan dit echt doen!' Ze zette haar tas even op de grond, rende om de auto heen naar Nate en gooide zich in zijn armen. Een witte meeuw streek neer op de parkeerplaats. 'Je lijkt bezorgd.'

'Nee hoor. Ik loop alleen... te denken; dat is alles.'

Doe je geen pijn.

Terwijl ze de heerlijke lucht van Nate opsnoof – zijn deodorant, een vleug van de lavendelzeep uit de badkamer van Serena's ouders, de zeelucht die op de een of andere manier al in zijn hemd zat – deed Blair haar ogen dicht. 'Maak je niet druk, Natie. Het is zomer. En we zijn samen. Dat is toch waar het om gaat, of niet?'

Nate deed een stap achteruit en keek haar aan. Ze glimlachte tegen hem en hoopte even dat ze ergens schipbreuk zouden lijden en dat ze Serena nooit meer hoefden te zien. Ze zouden in een bambochut wonen, op zoek gaan naar eten en altijd naakt zijn. Wie had kleren nodig als ze elkaar hadden?

Ze moet knettergek zijn.

'Je hebt gelijk. Laat alles en iedereen de klere krijgen.' Toen trok hij haar naar zich toe en drukte zijn verrukkelijke mond op de hare. 'Laten we maken dat we wegkomen.'

En stuur vooral een kaart.

Disclaimer: alle namen van plaatsen, mensen en gelegenheden zijn veranderd of afgekort om de onschuldigen te beschermen. Mij, vooral.

ha mensen!

Weet je wat heel suf is? Happy endings. Serieus. Als ik in de bioscoop zit en zie hoe een of ander meisje met lef eindelijk de man van haar leven verovert – die ze, wist ik al twee uur lang, toch wel zou krijgen – zou ik haar het liefst haar ogen uitrukken. Het echte leven is eigenlijk heel warrig en ingewikkeld en aan niets komt zomaar een *einde*... Ik bedoel, als je het goed vindt dat ik even heel filosofisch ga doen, is elk einde eigenlijk weer een begin, of niet. Oké, ik hou mijn mond.

Dus terwijl ***B*** en ***N*** misschien wegvaren bij ondergaande zon zegt iets me dat dit verhaal nog lang niet voorbij is. Vooral niet nu er zoveel vragen op een antwoord wachten. Zoals:

Zal ***B*** aan ***N*** vertellen over de brief van ***S***?
Zal ***S*** ***N*** weten op te sporen en het hem zelf vertellen?
Zal ***B*** haar overboord gooien als ze dat doet?
Zal ***D*** werkelijk vrijen met een andere jongen? Opnieuw? Zullen ze zelfs verder gaan?
Zal ***V*** hem echt aanmoedigen als hij dat doet?
En nu praktisch: hoe lang kunnen die twee huisgenoten zijn en geen bedmaatjes? Misschien is hij toch bi.
En dan komt natuurlijk de grootste vraag: Wie ben *ik?* Ik weet dat jullie niet voor elkaar willen onderdoen in het zoeken naar meer roddels over mij, dus hier is een heel interessante over ondergetekende. (Zeg niet dat ik nooit iets geef!) Ik kan geen geheim bewaren, behalve het geheim wie ik ben, natuurlijk. Maar een geheim

zoals ***S*** al die jaren heeft bewaard? Petje af voor haar! Ik begrijp het als je je vrienden en zelfs je familie voor de gek houdt, maar als je het klaarspeelt voor *mij* iets geheim te houden, nou, bravo! Dus wat verbergt ze nog meer? Ik heb het gevoel dat hier nog een heleboel te ontdekken valt.

Ik weet dat je snakt naar antwoorden. Nou, ik ook. En het is bekend dat ik altijd krijg wat ik wil.

Je weet dat je van me houdt,

gossip girl

Ben je verslaafd aan

Gossip Girl?

KIJK VOOR DE LAATSTE RODDELS OP

WWW.GOSSIPGIRL.NL